Jean-Claude Charles

MANHATTAN BLUES

Catalogage avant publication de Bibliothèque et Archives nationales du Québec et Bibliothèque et Archives Canada

Charles, Jean-Claude, 1949-2008

Manhattan blues
(Roman)

Édition originale : Paris : B. Barrault, 1985.
Texte en français seulement.
I. Titre.

Mise en page : Claude Bergeron
Couverture : Étienne Bienvenu
Prise de texte : Lindsey Scott
Dépôt légal : 3e trimestre 2015

ISBN 978-2-89712-321-5
PQ3949.2.C4M36 2015 843'.914 C2015-941459-8

Mémoire d'encrier • 1260, rue Bélanger, bur. 201
Montréal • Québec • H2S 1H9
Tél. : 514 989 1491 • Téléc. : 514 928 9217
info@memoiredencrier.com • www.memoiredencrier.com

Jean-Claude Charles

MANHATTAN BLUES

Roman

Du même auteur

Poésie

Négociations, Paris, Éditions P.J Oswald, coll. «J'exige la parole», 1972; Montréal, Mémoire d'encrier, 2015.

5 + 1 Lettres à Elvire, poèmes enveloppés d'une lithographie de Télémaque, Genève, Éditions Les Yeux Ouverts, 1990.

Free 1977-1997, Paris, *Sapriphage*, n° 33, 1998.

Essais

Le *Corps noir*, Paris, Hachette /P.O.L, 1980.

De si jolies petites plages, Stock, Paris, 1982.

Chroniques (à paraître)

Baskets, coordonné par Alba Pessini, Montréal, Mémoire d'encrier, 2016.

Romans

Sainte Dérive des Cochons, Montréal, Éditions Nouvelle Optique, 1977.

Bamboola Bamboche, Paris, Bernard Barrault, 1984.

Manhattan Blues, Paris, Bernard Barrault, 1985.

Ferdinand, je suis à Paris, Paris, Bernard Barrault, 1987.

J'donnerais bien un million de dollars,
dit le vieil homme en se reposant sur ses avirons,
pour savoir ce qu'ils viennent chercher ici.

– Justement ça, vieux père,
dit le jeune homme à la barre, est-ce que
nous ne sommes pas dans le pays de la chance ?

– En tout cas ce que j'sais bien,
reprit le vieil homme, c'est que,
quand j'étais gosse, il n'y avait que des Irlandais
qui venaient, au printemps, avec les premiers bancs
d'aloses... Maintenant il n'y a plus d'aloses
et ces gens-là, Dieu sait d'où ils viennent !

– Nous sommes dans le pays de la chance.

John Dos Passos, *Manhattan Transfer*

Remerciements

Mémoire d'encrier entreprend la réédition des œuvres de l'écrivain Jean-Claude Charles. Un grand merci à sa fille Elvire Duvelle-Charles, à Martin Munro de Winthrop-King Institute for Contemporary French and Francophone Studies, à Lorraine Mangonès, à Élizabeth Pierre-Louis, à Michèle Duvivier Pierre-Louis de la Fondation Connaissance & Liberté (FOKAL). Mémoire d'encrier, avec la publication de Manhattan Blues, s'associe à la célébration du 20e anniversaire de la FOKAL.

Homme nu dans un lit d'hôtel à Manhattan à 2 heures du matin

Jenny est toujours en guerre avec un mec. Elle a des plans de bataille féroces. Des tactiques de non-conjugalité foireuses. Des stratégies de bonheur surréalistes. Elle m'adore, prétend-elle, elle m'adore parce que. Avec toi je ne risque plus rien, mon chéri, le pire est passé. L'avenir est derrière nous. Elle a des formules à couper au couteau. Nous avons des complicités. Une même saloperie de vie. Chienne toutes griffes dehors et dents pointues que nous nous promettons de rouler dans la poussière de nos tombeaux. Je me battrai jusqu'au bout, camarades. Jusque dans la glaise.

Non, non, j'avais dit, pas question écoute. Tu déconnes. On va pas renoncer à. Fritures sur la ligne. C'est sur ta ligne cette cigale? Hou là là j'entends plus rien. Écoute raccrochons je te rappelle dans une seconde. Elle rappelle. Bon t'as pas perdu ma clé? Non non je crois que je l'ai. C'est la clé d'en bas, la *bottom*, je l'ai toujours celle-là, une copie marquée B. Attends, j'ai dit, je vais vérifier. Ça fait rien ça fait rien puisque j'te dis que j'vais venir à Kennedy. Pas question. Je l'ai la clé ça y est. Bon j'te donnerai l'autre, la *top*. Mais non je vais à mon hôtel rendez-vous au *Figaro* le lendemain de mon arrivée. Quel temps il fait à Paris? Épouvantable. Ici aussi. *I hate that weather*. Moi aussi j'ai horreur de ce temps, j'ai dit. Suivent des considérations sur les mérites comparés des tropiques et du monde libre. Ha ha. Qu'est-ce que tu veux que j'te ramène? Rien rien que toi et surtout pas une sale gueule. Toi non plus ma chérie, j'ai dit. Je déprime un max ces jours-ci. Encore amoureuse? Pas vraiment.

J'avais traversé l'Atlantique dans des conditions épuisantes. Piégé comme un rat dans un DC-8 affrété par une compagnie de charters, qui avait décollé de Paris avec cinq bonnes heures de retard. Ils avaient déplacé et rajouté des sièges, afin de rentabiliser l'affaire au maximum, et j'avais dû voyager les jambes allongées en oblique dans l'allée, raide dans un fauteuil imbasculable, coincé entre un vieillard acariâtre dans mon dos, une tête blonde (à claques) devant moi et un couple hargneux à ma droite. Obligé de plier ou de déplier les jambes au passage des hôtesses et des pisseurs. Plongé dans la torpeur après un repas lourd, arrosé de mauvais vin et de café tiédasse. Bref, sept heures et demie d'enfer en plein ciel, j'en avais marre.

De sorte que, ce mercredi, vers minuit, à l'arrivée, les interminables couloirs de l'aéroport Kennedy pouvaient figurer le paradis. Bleu. Rouge. Blanc. Les murs s'étiraient en longues bandes tricolores, multipliant ces affiches qui vous assurent que New York vous aime, j'aime New York, *we're glad you're here*, nous sommes contents que vous soyez ici. Guichets de contrôle jaunes de l'Immigration. Formalités douanières: une fois de plus, rien à déclarer. Rien qu'une immense fatigue. J'étais sur les nerfs. Harassé. À la limite. Au bord de.

Taxi. Vers l'hôtel de Manhattan où j'ai mes habitudes. Qu'on me dise pourquoi une chambre d'hôtel de Manhattan est le seul endroit au monde où je me sente à peu près bien. J'avais demandé à Jenny de ne pas venir à l'aéroport. Horreur de ça, elle le sait. Elle s'était tout de suit montrée enthousiaste quand j'avais téléphoné. Voilà je viens à New York. Travailler sur mon projet. Essayer de monter l'affaire de ce film. Comme d'habitude, elle m'avait proposé de me loger, de venir m'accueillir à l'aéroport. Comme d'habitude, j'avais refusé. Elle sait que les comités d'accueil ne font pas partie de nos rites, que ça m'agace. N'empêche, elle persiste. J'ai rien de particulier ce jour-là à cette heure-là tatata. Et moi je renâcle. Pas question. Elle se love dans des délices de prévenances. Et moi je résiste. Non non écoute. Coutumes, désormais, de l'étrange tribu à deux que nous formons.

Le chauffeur est haïtien, donc parle d'Haïti. Branché sur la sordide histoire, vieille déjà, des boat-people qui s'étaient vu pousser des seins dans les camps d'internement américains en Floride et à Porto Rico. Gynécomastie ça s'appelle horreur je vous dis. Il fait le geste de tourner le bouton de la radio. Horreur. Avoir des lolos. Être un mec et avoir des lolos. Après tout hein pourquoi pas? Se frappant la cuisse. L'ennui c'est qu'ils n'ont pas choisi. Ils n'ont rien choisi à part se barrer d'un pays dont ils avaient plus rien à foutre. Leur seul choix a foiré. La seule fois dans leur vie où ils ont pu choisir quelque chose ça a foiré. Pour les femmes c'est pareil remarquez. Sauf que les seins des femmes se dégonflent pas. Hé hé. De nouveau se frappant la cuisse. De temps en temps, il lève la tête vers le rétroviseur, comme pour s'assurer que j'écoute, sans vraiment attendre de réponse. Il a la chevelure très rase et un menton pointu.

Le péage. À la radio, Stevie Woods roucouléructe *Take me to your heaven:*

Come on and get me high...

I just can't wait no longer
And now it's up to you...

Ho ho ho...

Take me to your heaven
Open up your wings...

Let's make this moment last
For ever...

As long as I am with you
My darling I don't mind[1]*...*

---

1 *Viens envoie-moi en l'air... / Je n'peux attendre plus longtemps / Ça n'dépend que de toi / Ho ho ho / Emporte-moi vers ton ciel / Ouvre grand tes ailes / Prolongeons ce moment / Pour la vie / Tant que je suis avec toi / Chérie tout m'est égal...*

Le pont. Au loin les lumières de Manhattan. Le bonhomme qui continue à pérorer. Le mec avec des nibards de gonzesse comprend que dalle. Vous non plus je parie. Moi non plus. Eux non plus les responsables. Sauf qu'eux ils sont responsables. Et ils s'en foutent. Ce sont pourtant pas des seins de Mardi gras. Ce sont de vrais. Qu'ont poussé Dieu sait comment. Après tout peut-être que Dieu lui-même sait pas. Ce sont des seins de prison. Des seins de camp. Ce sont même pas des seins de femme. Des seins américains l'horreur. Le mec il dit c'est à moi que ça arrive? Qu'ai-je fait? Après tout peut-être que j'ai fait une connerie. Quoi? Traverser la mer tiens. Sans papier. Sans rien. J'aurais pas dû. Mais rester là-bas c'était plus possible. Des papiers pour passer d'un pays à un autre ça devrait pas exister. Et ça donne des gros seins de pas en avoir. Comme mentir allonge le nez. Comme se branler rend sourd. Comme baiser le Vendredi saint laisse deux amants collés l'un à l'autre. Avoir des seins est une punition.

Je n'écoutais plus vraiment. Haïtien, je connais la chanson autant que lui, sinon plus. J'étais fatigué. J'ai baissé la vitre un moment pour respirer un bon coup. Vent glacé. Le grondement du vent. J'ai refermé. Je dérivais dans des images. Faisais la planche dans des fantasmes. Le cinéma de Jenny, voici la scène. J'ai débarqué, elle n'a pas mis le verrou, je peux entrer, elle a fait place nette, s'est efforcée de nettoyer tant bien que mal, elle déteste ça, elle le fait. Me laisse un mot. Laconique. Je ne rentrerai pas avant – suit une heure approximative, à laquelle nous aurions rendez-vous à déjeuner le lendemain, toujours au même endroit, *Le Figaro*. Elle couche chez un copain, chez une copine.

Le taxi roule maintenant dans Manhattan. Vers l'hôtel. Vers des répétitions : le vieux portier, son uniforme gris-bleu, sa casquette, ses épaulettes rouge et vieil or, ses gestes, manière d'ouvrir la porte d'une voiture ou de héler un taxi à coups de sifflet vigoureux alors qu'il n'y a pas le feu. Plans décadents d'un lieu complètement pourri qui me ravit. Qui ne me ravira plus. Car voilà, tandis que nous débouchons sur l'avenue, mon regard tombe sur des palissades, des bétonnières, des tiges d'acier, une roulotte, des grues, un monstrueux champ de gravats et de matériaux de construction à la place de ce qui fut sans doute ma dernière maison. L'hôtel a été démoli.

Passage de mélancolie.

Et, curieusement, quelque chose comme de la joie. Sans doute puis-je enfin entrer dans l'exil. L'exil absolu. Dans la dernière ligne droite. Loin de toute illusion. Cette illusion, naguère, à la faveur de ma haine irrévocable d'un lieu de naissance impossible, de trouver la paix en un autre lieu. Puis, à la faveur du premier exil, de tenter de résoudre chaque expérience désagréable par un nouvel exil, l'ignorance faisant la force de qui ne sait pas qu'il n'y a plus d'endroit où aller dans le monde. Qu'il existe bel et bien une limite au monde, un endroit où le monde est cloué avec des planches. Et, à partir du moment où ce peu de savoir s'impose, l'impossibilité de revenir en arrière, l'inanité d'aller de l'avant, puisque à partir de ce peu de savoir il n'y a plus d'avant, plus d'avenir. Rien que l'évidence trouble du passé. Et l'incapacité physique de s'agenouiller. L'orgueil, devenu tyrannie, de ne pouvoir s'adonner à cette suite de petites lâchetés quotidiennes et de grandes démissions que d'aucuns appellent leur vie. Comme s'il pouvait encore y avoir une vie dans la chute perpétuelle, le renoncement à toute idée de grandeur, les épousailles de larves que ceux qui règnent nous proposent comme existence possible. Les basses flatteries à nos âmes d'esclaves.

Mon hôtel a été démoli, et j'avais des pensées amères, tandis que nous en cherchions un autre. Que nous trouvons, pas loin. Un groom, dans l'ascenseur, m'apprend la nouvelle. Mon hôtel a été démoli parce qu'il y avait trop de rats. Faute de pouvoir exterminer les rats, ils ont préféré raser l'immeuble.

2 heures du matin. Salle de bains. L'état d'aise dans la chaleur de l'eau. Devant la glace. Bruit de râpe de la brosse à dents. Rites utiles. Demande de réveil téléphonique. La bulle des pensées flottantes. Homme nu dans un lit d'hôtel à Manhattan à 2 heures du matin. Ver luisant dans le jeu des néons qui filtrent à travers la fente du velours sombre. Jenny. Mon premier rendez-vous. Et les autres. Mémoire vague d'avant la paix provisoire du sommeil qui s'abat sur moi comme un voleur.

Je suis sur un terrain vague. Un lieu que je connais: il est à Miami, en Floride, dans ce quartier dénommé Little Haïti. C'est un endroit où il y a parfois des manifestations politiques. Dans mon rêve, il est occupé par une bande de mômes qui jouent aux billes à même la terre battue. Ils ont tracé sur le sol le dispositif du jeu : un cercle et la ligne de démarcation derrière laquelle se font les services. Je ne participe pas. Au-dessus du terrain vague passe le métro aérien : il n'y a pas de métro à Miami. Du fond de la rue déboulent au pas d'oie des tontons macoutes. Les gosses s'égaillent dans toutes les directions.

Beau jeudi

Je me réveille.

Scène du matin.

Tirer les rideaux. S'enquérir du temps. Je tente d'ouvrir la fenêtre. Le châssis de bois pourri refuse de coulisser sur la chaînette – elle a les maillons pratiquement bouchés par d'épaisses couches de peinture blanche. Forcer. Secouer. S'énerver. Le chambranle partira en morceaux, l'hôtel s'écroulera, la fenêtre ne s'ouvrira pas.

Je ne crois qu'en la météo de la peau. J'en suis réduit à la météo de l'œil. Dehors. Regarder à travers la vitre. En plongée. Traces de neige et de soleil. Plaques de neige sur les toits, par endroits. Ailleurs, trottoirs dégagés, rues praticables, comme si nous étions en un temps d'automne vaguement mouillé, vaguement ensoleillé. J'avais connu l'hiver-malédiction, il me restait à connaître l'hiver-bénédiction. Météo de myope. Approximations d'asphalte, de brique, de béton, et le ciel, la percée du soleil que je souhaite durable.

Pousser à fond l'eau chaude.

Attendre l'eau chaude.

Météo de l'oreille. Froid, sec, ensoleillé. *CBS News*, j'ai allumé la radio, la boîte rococo encastrée au-dessus de la tablette de chevet, entre les lits jumeaux, le moulin à blabla et à zizique ne s'est pas fait prier, vitesse, remue-ménage du monde sur crépitements de téléscripteurs, rien ne va plus, tout baigne, même la baignoire. Elle manque de déborder, vite fermer les robinets. La vie qui s'envole.

Dehors. Quelques degrés en moins, je ne dirais pas non. Sinon tout baigne, même la saison. Entre enfer et paradis, un hiver-purgatoire, traces de neige, seulement des traces, et soleil en veux-tu en voilà. Éclaircie du matin, bouffée d'espoir.

J'achète le *New York Times*. Reagan me salue bien. Le marchand de journaux découvre les dents, me souhaite une bonne journée. *Have a nice day*. Une seule chose ne va pas : je n'arrive pas à monter l'affaire du film, je suis bien décidé à le faire.

Répétitions, par retours de mémoire, d'images, de sons, le présent vécu comme un songe. À travers des labyrinthes de bureaux, des comédies de déjeuners, des tresses de paroles lâchées, pétards fumigènes, sur des scènes à chausse-trappes, machinerie d'imaginaires et de langues molles dégoulinantes, salut mon grand, salut ma grande, que deviens-tu? Ha ouais notre projet. À bien cadrer. Étoffer. Génial. Faut trouver l'argent. Encore un café? Valse de requins déguisés en babouins. Tu t'souviens de ce stage dans les Vosges? Ta copine cette jeune cinéaste de New York qui parlait des difficultés pour monter son truc. Au téléphone essayant d'obtenir quelqu'un tu t'souviens? Ton rôle écrire le film. Ce sont les mots ton territoire. Faire les contacts. Absolument. Complètement génial. Une bonne coprod coco. T'as le réalisateur il te manque que l'pognon. Faut être réaliste. À force de manger des lentilles nous finirons par devenir des avances sur recettes. Encore un café?

Yes please. Je veux bien.

Dans un coffee-shop, celui du Wellington, à l'angle de la Septième Avenue et de la 55e Rue. Humeur américaine du matin. *Have a nice day.* Politesse, économie réglée des gestes, chorégraphie efficace sur la bande-son des grille-pain, de l'huile sur le feu, des percolateurs et des tasses épaisses qui valdinguent sur le comptoir devant moi, juché sur un tabouret en skaï, *have a nice day.* Les batteries de la patrie qui se rechargent tous les matins dans les coffee-shops de Manhattan, voilà le secret de la réussite du capitalisme américain. Le contrat social, c'est ici. Le consensus moral. Le travail des mythologies, c'est ici, dans le retroussement mécanique des babines, dans la dégaine optimiste de ce matin d'hiver où, m'étant levé, approché de la sortie, ayant réglé l'addition, ramassé dans le creux de la main trois bonbons à la menthe offerts par la maison, je souhaite à mon tour à la caissière de passer une bonne journée.

Et la suite, à pied dans les rues, ou dans le métro tatoué de graffiti.

Dans les bureaux de CBS, avec mon pote qui vit à Hoboken et promet des démarches auprès de l'homme qui a vu l'homme qui a vu l'homme, belle journée hein, *see you soon big baboon*[2]. Dans les bureaux d'une petite boîte privée à Harlem avec l'ex-enragé des campus années soixante qui croit savoir que le Studio Museum in Harlem ceci et que l'an prochain à Cannes cela, *see you later alligator*[2]. Encore un café ? Avec Teo, chez Wilson's, sur Amsterdam Avenue, au coin de la 158e Rue, Teo qui raconte l'épopée de la middle class blanche en train de revenir en force à Harlem vu l'accélération supersonique des loyers à Manhattan et je souhaite hypocritement que les croquettes de saumon de chez Wilson's leur restent en travers de la gorge et les étouffent fin de l'histoire terminée, *see you in a while crocodile*[2].

La ligne A c'est où s'il vous plaît ?

Continuez à zigzaguer c'est droit devant vous.

Rencontre, dans l'après-midi, avec Jenny. Je suis arrivé avant elle au *Figaro*. Je m'assieds à

2 Manières familières de dire *Au revoir*... pour la rime.

cette place d'où je peux voir, à travers la baie quadrillée de minces bandes noires. À ma droite, l'enseigne en lettres rouges, noires et blanches du café *Borgia*. À ma gauche, l'auvent de cette boutique annonçant des fruits de mer, des salades, des quiches, de la bière et du cappuccino. Ou bien, ramenant la vue à une portée moyenne, me tournant vers le bar, l'image du chat jaune moustachu posé sur une sorte de coffre où se détachent les lettres du nom du café. Ou bien encore, de nouveau me tournant, devant moi, ces trois agents de la police de New York, deux hommes et une femme, avec leurs casques bleu ciel, leurs chemises gris-bleu et leurs pantalons marine, perchés sur trois chevaux bais, descendant la rue MacDougal, côte à côte, occupant ainsi toute la largeur de la rue, ils me cachent Jenny. Et maintenant je la vois. Grande, brune, les jambes très légèrement arquées dans son pantalon fuseau, elle passe par la porte en bois sombre de la rue Bleecker, elle vient vers moi, commençant de loin à dézipper son blouson en cuir marron, elle a la main sur la glissière de la fermeture éclair au moment où elle se penche et m'embrasse sur une joue, puis l'autre. Elle a les lèvres charnues. Le nez retroussé. Des seins pas mal. Pas mal du tout.

Répétitions. Avec Jenny. On s'embrasse. Ma grande. Alors. Qu'est-ce que tu racontes ? Désolé de n'avoir pu te revoir une dernière fois avant mon départ de New York l'été dernier. Tu sais bien que je reviens toujours. M'y voilà. Maréchale. Tu peux m'héberger une nuit ? Toute la vie ? Qu'est-ce que tu fais pour le restant de ta vie ? Elle me donne l'autre clé. Marquée T. Me dit qu'elle est à la bourre. À l'amour. Avec un nouveau mec. Il est beau? Il est gentil? Tu l'aimes? Plus que moi? Tu m'aimes? Tu peux me joindre le matin avant 10 heures, me dit Jenny. À ce numéro. J'ai prévenu les gardiens ils savent que tu vas habiter chez moi. Tu restes tant que tu veux. Salut mon chéri. Fais pas trop de bêtises. Elle s'en va.

Je sors d'une de mes poches mon porte-clés qui est aussi mon porte-monnaie. Une fois de plus, je constate qu'il fuit de partout. De sorte que, maintenant, remontant cette Sixième Avenue qui est aussi l'avenue des Amériques, artère balisée par les emblèmes des nations du continent accrochés au sommet des lampadaires, à l'instant où je me trouve devant Haïti, j'ai pris trois grandes décisions (au moins). Je retournerai à Paris dimanche, annulant tous ces rendez-vous inutiles. La galère, trop peu pour moi. D'ici là, je m'enfermerai chez Jenny, pour écrire – savourant, une fois de plus, cette absolue légèreté de mes moyens (un stylo, du papier et une chaise pour poser mes fesses). Je m'achèterai un porte-monnaie neuf.

Dans les grands magasins, chez *Macy's*, sur la 34e Rue. Les objets, les trucs, les machins. La musique qui pousse. Fredonner, chanter, danser, consommer. La plupart des clients d'ailleurs, là où il y a de la musique, ne chantent ni ne dansent. Se contentent de consommer. Le gâchis, y'a justement Bill Laswell à un tournant, entre les montres électroniques et les machins. Je découvre un gadget amusant. La publicité promet que plus jamais vous ne perdrez vos clés. Ça s'appelle un *Keyfinder*[3] boîte noire qui répond à la voix de son maître. Vous y attachez vos clés, vous les perdez, vous sifflez votre toutou électronique en tapant dans les mains au rythme de *one potato... two potatoes... three potatoes... four potatoes*[4]... et ça déclenche un signal sonore. Il n'y a plus qu'à se baisser et ramasser les clés. Je n'achète pas. Chez les femmes, un porte-monnaie jaune citron. La vendeuse me demande si c'est pour moi. Oui. Me fait remarquer que je suis chez les femmes. Je lui réponds que je sais. Que ça me plaît. J'achète.

Je me blesse le rebord gauche de l'index en tentant d'ouvrir une boîte de Coca-Cola. Goutte de sang sur le porte-monnaie jaune. Le ciel s'alourdit.

17 heures. Je franchis la porte de l'ascenseur qui s'ouvre directement sur les bureaux de la compagnie de charters, dans la peau d'un taureau blessé. Décidé à obtenir le changement de la date de mon retour. Un homme à la figure carrée, ornée d'une barbe rousse, coupée au cordeau, s'agite derrière une bonne dizaine de lignes téléphoniques. Il me demande ce que je veux. Voir un responsable, je lui réponds. Il réplique c'est moi.

---

3 Détecteur de clé.

4 Une pomme de terre... Deux pommes de terre... Trois pommes de terre... Quatre pommes de terre...

Sur quoi j'enchaîne c'est un scandale vous n'avez aucun respect pour les gens. Stop, il dit. *Stop what?* À ce moment, sort d'une pièce attenante une jeune femme dont les paupières clignotent tels les phares d'une bagnole de dessin animé. Elle me lance un *hi*. Je me tais, tandis qu'elle pose sur la table devant Barberousse un paquet de feuilles roses attachées avec des pincettes. Puis elle se tourne vers moi et me dit qu'elle va s'occuper de moi. De la suivre.

Ses fesses sont deux noix de coco pleines d'humour.

Son bureau est ce qui doit être la salle d'attente. Il y a là dix-sept personnes des deux sexes, assises sous des affiches publicitaires vantant les charmes de toutes sortes de pays. Vous pourriez prendre n'importe quel rapport d'Amnesty International et comparer. Ça se superpose. Ça coïncide. Toute ressemblance avec des situations politiques connues ne saurait être considérée que comme pure coïncidence géométrique. Avec les angles qui s'épousent à merveille. Avec les droites qui se rentrent dedans.

Ce monde ne veut plus de nous. Et nous sommes là. À négocier des billets pour des destinations précises, alors qu'il suffit de mettre le doigt à peu près n'importe où sur la carte. À faire semblant de choisir, alors que les itinéraires sont tracés, que les trajets sont prédéterminés. Ils veulent nous anéantir ces cons-là. Qui leur dira d'arrêter? J'ai envie de gueuler un bon coup. Arrêtez. Arrêtez le massacre. Là devant tout le monde. Tous ces gens alignés comme des veaux à l'abattoir.

Je sors ma blague à tabac. Ma pipe. Je la bourre lentement, à petites pincées. Je referme la blague à tabac. Fais craquer une allumette, qui résiste une fois, je frotte de nouveau le bout rouge sur la bande marron de la boîte, deux fois, la troisième fois la flamme jaillit. La pipe entre les dents, j'incline légèrement la tête et promène le feu sur le fourneau. Le tabac grésille doucement. Sans bouger la tête, je lève les yeux. La femme aux paupières automobiles m'observe. Son crayon dans la main suspendue un instant dans l'air de la pièce qu'emplit l'odeur du tabac. Elle me fait signe, en murmurant quelque chose. Je me lève. Je marche vers elle. Je lui demande si ça la gêne pas la fumée. Elle dit non. Et que désirez-vous? C'est un scandale, je réponds.

À 17h23, je franchis la porte de l'ascenseur dans l'autre sens, muni d'un papier rose à échanger dimanche à l'aéroport Kennedy contre un billet d'avion pour Paris, vol à 19 heures. La petite scène de corrida m'aura néanmoins coûté ce que la jeune femme a appelé, la bouche en cul de poule, un léger supplément. Que j'ai réglé avec ma carte bleue, d'un très beau bleu.

Scènes de ménage

Notre héros, ayant couru le monde, a donc décidé de poser son baluchon d'errant dans un placard, ses fesses sur une chaise, dans l'intimité d'un appartement sur Sheridan Square, chez Jenny, et de raconter le monde. La météo est avec lui, car il pleut. Une de ces pluies traîtresses dont la ville de New York a le secret. Il a neigé, puis il a fait très beau, et soudain des trombes d'eau s'abattent sur ses cheveux noirs crépus, son anorak rouge vif matelassé, ses chaussures de marche à lacets et à crochets qui se mettent à cavaler sur une dalle en ciment, à l'ouest de la 42e Rue, bien connue pour ses cinémas pornos, ses peep-shows, ses voleurs à la tire, sa gare routière, ses trafiquants et ses drogués, ses flics, ses putes, ses fastfood ses stands de hot dogs, ses marchands de journaux et de bonbons (sucrés ou de régime), ses boutiques d'autoradios et de ghetto-blasters avec lesquels les gosses américains narguent les flics en mettant le son à plein volume et en tournoyant sur la tête quand il fait beau, mais là il fait un temps vraiment moche. Et je découvre le responsable : un Noir (bien sûr) posté à l'angle de la 42e et de Broadway, sous un parapluie noir ouvert, vendant d'autres parapluies noirs fermés. J'achète.

Regardez-le, avec sa parodie de parapluie, prix 3 dollars, qui a tout de même l'avantage d'arrêter les grosses gouttes de flotte qui tambourinent sur le 100 % nylon made in Taiwan numéro 65 402. Fermé, tassé dans son fourreau également en nylon, cela peut toujours servir d'arme défensive, on ne sait jamais. Notre héros se dirige vers l'est, vers la station de métro où il montera dans une rame roulant vers le sud, il descendra à West Fourth Street, de là il ira à pied chez Jenny. Il ne sait pas encore que le destin va frapper sous la forme d'une rencontre avec une pimpante traductrice de littérature française, aux yeux pers et aux cheveux noirs taillés en brosse. Or il aurait pu s'en douter, en cet instant précis, à un signe non moins précis : les imprécations contre le New York Stock Exchange, ponctuées de hurlement d'hyène, lancées contre le ciel du Bon Dieu par une vieille clocharde aux dents inexistantes, sa bouteille de whisky à peine escamotée dans un sac en papier brun, frappée par le Saint-Esprit des ivrognes.

Ce qui constituait la précision du signe n'en était ni l'objet ni le sujet, ni même les sous-entendus qui n'échapperont pas à l'observateur le moins attentif, mais le lieu de l'apparition. Car cette visitation de la clocharde survient avenue des Amériques, exactement entre la Bolivie et la

Barbade, à une distance de quelques jets de pierres de l'immeuble où je travaillai l'été et une partie de l'automne de l'année 1973 comme vigile de nuit.

C'est de là que, du quarante-huitième et dernier étage en activité – les quarante-neuvième et cinquantième étages étant investis par la lourde infrastructure des machines –, sur le chantier des nouveaux bureaux d'une société, dans ce gratte-ciel dont le profil évoque, vaguement, de loin, la tour Eiffel, à l'époque de je ne sais quelle francophilie inconsciente de plusieurs architectes new-yorkais – ils s'étaient mis à construire pas mal d'immeubles dans ce goût-là, grandes verticalités de verre fumé à ouvertures condamnées comme une définitive impossibilité de suicide –, j'eus le privilège, si j'ose dire, d'assister à l'une des premières manifestations américaines de protestation contre l'assassinat au Chili du président socialiste Salvador Allende.

En bas de cet immeuble, à main gauche quand on y fait face, il y a une papeterie que j'aime bien, qui s'appelle *The Oxford Shop*, où j'entre m'adonner aux rites primaires de l'écriture. La mise à sac symbolique de la papeterie s'accomplit suivant une liturgie désormais familière au propriétaire. Encre noire Parker. Papier d'une texture semi-mate de poids dit moyen. Chemise à tirette métallique du même format que le papier. Sous-main en hardboard à pince, arborant l'emblème d'un aigle – quoique j'eusse préféré un oiseau plus amical ou plus drôle, un perroquet par exemple.

Je m'engouffre dans le métro tatoué. Avec mes munitions. Et le parapluie fermé. Devant mes yeux se déroulent, à plat, comme sur un écran, quelques scènes de ménage avec Jenny, survenues dans le temps où je commettais l'erreur de lui faire lire ma prose *in progress*. Elle reconnaissait, dans ce qui était chez moi une lente, patiente, méthodique, affreuse mise en place des voix, des bouts de fiction volés de notre vie, de sa vie à elle ou d'existences reconnaissables à ce je-ne-sais-quoi. C'est elle qui disait ce je-ne-sais-quoi. Elle est là tranquille. Elle dit qu'elle a lu mon manuscrit. Pas mal. Quoique. Là je m'attends à des critiques. Des remarques utiles. Quoique. Ce je-ne-sais-quoi. Paf, elle explose.

(Rugissement de lionne)

STARRING JENNY

Elle va et vient entre la salle de bains et la table. Elle me parle en agitant son sèche-cheveux. Fantasme : moulinettes d'une arme blanche avec laquelle elle va me la couper. Définitivement. Elle parle. Elle me charge. Je suis odieux. J'écris tout ça. Où est-ce que je vais chercher tout ça ? J'aurais pu parler des problèmes de sécurité à New York. Ou des clivages ethniques, des rapports de classe, est-ce que je sais moi. Je lui réponds que je parle de tout ça. Je guérirai de tout ça peut-être. Pour le moment je n'peux pas écrire avec autre chose que ce que j'connais. Mes tripes. Mes couilles. Que j'ai pas beaucoup d'imagination. Et que de toute façon ça n'a pas d'importance c'est du roman. Rien. Elle m'écoute. Me regarde. Elle brandit son sèche-cheveux. Elle me dit t'as pas l'droit. Je veux tirer cette histoire au clair. T'as pas l'droit. Pourquoi tu parles pas des réfugiés? Je lui réponds que j'ai déjà donné. Que ça sert à rien. Que tout l'monde s'en fout. T'es un dégonflé. Rien qu'un dégonflé. J'aurais pas dû te montrer ça, je lui dis. Ta gueule c'est déjà fait. Trop tard maintenant. Je t'assure ce passage existait déjà à Paris. Elle menace de. Molle parade du stylo contre le sèche-cheveux ronronnant. Un stylo ne fera jamais le poids. Tout ça est d'une tristesse à pleurer, elle dit. S'en retourne à la salle de bains. Claque la porte. Je suis dans la merde.

Quelques jours plus tard. Voilà, me dit Jenny, balançant un paquet de feuilles aux rebords troués sur la table, on a mis tout ça sur un ordinateur, eh bien mon vieux t'es pas dans la merde. Explique-toi Jenny. On a découpé on a calculé tu sais quoi? Je vais pas tarder à savoir. Eh bien les mots qui reviennent le plus souvent chez toi. Ouais? Exil. Désespoir. Désenchantement. Fatigue. Lassitude. Accablement. Mélancolie. À ta place je m'flinguerais tout de suite. Je lui objecte que c'est pas dans mes intentions. Que je compte vivre très très longtemps. Vivre rien que pour faire chier l'monde. Que c'est pas de ma faute si je suis né au-dessus de mes moyens. Tu pourrais pas changer? dit Jenny. Je sais pas. Elle est debout devant moi. Je suis assis. Elle a nettement l'avantage. Et en plus elle me bouche mon rayon de soleil. Tu t'es payé ton quart d'heure de tristesse aujourd'hui? Je ne réponds pas. Ta mélancolie vespérale? Elle va droit au but. Si tu changeais je crois que j'pourrais t'aimer. Trop tard, risqué-je au hasard. Elle fait un pas de côté, me rend un bout du rayon. On peut pas changer nos vies, ajouté-je. Merde fais un effort. Je vais essayer mais t'avise pas de m'aimer. Et tu sais, dit Jenny, une couleur qui revient souvent chez toi? Hmmmmmm. Le bleu. Merde éclate-toi.

On se réconciliait. On faisait l'amour. Avec Jenny, les vrais moments de transparence, c'est quand on faisait l'amour. Le bonheur des corps. Le bonheur.

Échanges de lettres

Diorama du métropolitain. Têtes de cadres. Têtes d'ouvriers. Têtes de chômeurs. Têtes de pauvres (anciens et nouveaux). Têtes de lecteurs du *New York Times*, Reagan me salue toujours. Têtes de dopés aux tabloïds hémophiles, le fils de la concierge viole l'actrice sur le toit de l'immeuble et la découpe en petits morceaux à l'aide d'un canif effilé. Têtes parfumées à l'eau de rose, elle raccrocha et une larme perla sur sa joue pâle elle savait que ce divorce risquait de les démolir tous les deux et que deviendrait l'enfant dans ce bordel? Tête de dormeuse qui manque de rater sa, elle se lève d'un bond et se rue sur la porte au moment où celle-ci se referme, ça y est elle a raté sa station. Tête d'un gamin sans pitié.

Regardez bien. Qu'est-ce qui se passe dans la tête d'un gamin noir habillé tout de blanc, une fin d'après-midi d'hiver où il pleut, avec un bouquet de fleurs dans la main droite, une batte de baseball dans la main gauche, et qui se marre tout seul ? Mais se marre, plié en deux, cassé, faisant manifestement des efforts pour se retenir. Je cherche autour de lui. Il est peut-être avec quelqu'un. Il s'adresse à quelqu'un qu'il connaît, avec qui il a le droit de rigoler. Non, il est seul et il se marre.

Je sors de l'asile roulant, je marche parmi les parapluies ruisselants, je traverse l'avenue des Amériques à grands pas, je marche vers le sud sur le trottoir de droite, mon parapluie noir entre en collision avec un parapluie blanc, nous échangeons des constats d'excuses à l'amiable, je tourne à droite dans la 4e Rue ouest, je passe devant un sex-shop qui annonce un nouvel arrivage de cochoncetés, je traverse diagonalement la chaussée en évitant une flaque, je débouche sur Sheridan Square, je m'oriente vers l'immeuble, le gardien en service est un Portoricain qui me reconnaît, hello, hello, *¿como está señor? muy bien gracias*, je me retourne vers ses écrans de contrôle, il y a un plan de parking, un plan d'ascenseur vide, un plan d'ascenseur occupé par trois personnes vues en plongée et un plan de couloir désert. Bientôt le Portoricain va voir un individu de type méditerranéen pénétrer dans l'ascenseur vide, avec un parapluie ouvert tenu devant lui comme un bouclier, sortir à un étage et longer le couloir sans fermer le parapluie, l'image est floue, mal cadrée, muette et sans carton explicatif.

Je pose le parapluie ouvert dans l'entrée, à même le parquet, après l'avoir secoué sur l'évier de la cuisine. Je longe le couloir. Je passe devant une porte que je ne pousse pas, dont je sais qu'elle donne sur une petite pièce que j'utiliserai plus tard si j'ai le courage de récupérer ma valise à l'hôtel. Je pousse la deuxième porte, elle ouvre sur la pièce principale, à la fois living, chambre à coucher, atelier d'écriture. Au fond, à droite, une autre porte donne sur la salle de bains, où pour le moment je n'entre pas.

L'appartement de Jenny comme lieu de travail me convient tout à fait. Espace nu, dépouillé, blanc. La lumière du jour. Et les quelques rares objets qu'elle y a mis. Un lit, petit, austère. Un coffre en chêne, à côté d'un lecteur de cassettes stéréo posé à même le tapis, les baffles installés de façon que le rayonnement sonore puisse porter dans l'espace entier, avec à peine quelques pertes de valeurs. Une table vers la fenêtre, baie vitrée avec un système de châssis qui s'ouvre ou se ferme en coulisse verticale, par laquelle on voit en surplomb ce quartier de Greenwich Village et, au-delà, une partie de Manhattan.

La table est vide. Du moins en surface. Je sais que les tiroirs sont pleins à craquer. Jenny sait qu'à partir du moment où je n'en aurais pas le contenu sous les yeux, où je n'aurais à portée de regard que le stylo, la rame de papier sur le sous-main à pince, les outils d'écriture, ma sacoche de fumeur de pipe, mes carnets de notes et ma mémoire, je peux travailler.

Je ne vois pas le cendrier en bakélite qui est le seul objet que j'y trouve généralement. Et aussi, sur la porte du frigo, un mot. *Ferdinand. Je ne reviendrai pas avant... Je suis avec les kids.* Les kids en question sont des gosses du Bronx. Des enfants difficiles. Des enfants perturbés. Des enfants dits bizarres. Personne ne sait par quel bout les prendre. Tout le monde pond des tonnes d'exposés sur eux. Tout le monde a sa petite thèse sur leurs bizarreries. Des petites théories pour de grandes calamités. Des semblants de savoirs parmi les ruines. Tout ce qui est certain, c'est le malheur. La misère. La drogue. Le boulevard sans fin du crime. La prison. Les impasses. Et pas mal de bonnes volontés. Jenny dans tout ça qui fait ce qu'elle peut. Bien. Mal. Elle ne sait pas. Moi non plus. Et plus ça va, moins on sait. Et moins on sait, plus on va mal. Retour aux semblants. Retour aux doutes. Le mouvement de balancier finira dans une fosse. Ou cendres dispersées.

Parfois, c'est aussi : *Ferdinand. Je couche chez...* Surtout vers la fin de notre histoire. Aujourd'hui, c'est l'équivoque. La dernière fois que je suis venu ici, on s'est peu vus. Elle jamais là. Moi jamais là. Ballotté entre mon hôtel et ce lieu. Le plus souvent assis à la place où je suis à présent, devant cette table, avec le stylo, le papier, l'encre noire. Avec ces mots qui, dans le même mouvement, éclairent et dérobent.

Il n'y a pas de certitude dans cette pièce.

C'est le lieu de Jenny, qui est aussi devenu le mien, un peu, et qui le sera sans doute de moins en moins.

Il n'y a pas de livres dans cette pièce.

Sur le lit, il y a un téléphone digital bleu.

Près du lit, il y a un abat-jour monté sur un pied métallique bleu.

Sur la table, il y a une lampe à bras articulé bleu.

On entend les bruits de la rue.

La première fois que j'ai essayé de travailler ici, j'avais pensé : pas de bruit. Et soudain un vacarme de marteaux piqueurs. Il y avait des travaux sur Sheridan Square, je ne sais plus quoi. J'étais venu avec mes bagages, que je ramenais le lendemain à l'hôtel, Jenny s'affolait, m'appelait, inquiète. Je m'étais réveillé. Elle n'était pas là. Elle m'avait laissé un mot, Jenny me laisse toujours des mots, généralement très pratiques, sans effusion, que je collectionne :

Ferdinand. I should be back late morning. Probably tomorrow nite could be better for dinner. I'll speak to you later. Ciao ! Jenny. P.-S. Help yourself to coffee, etc.[5]

Je me suis levé. J'ai essayé d'écrire. Zéro. Pas un mot ne sortait. Je suis allé à l'hôtel. Ça marchait, j'avais des ailes. Ce n'était pas le bruit des marteaux piqueurs, comme je l'ai prétendu plus tard, histoire de justifier ce mouvement de girouette, je ne pouvais pas écrire chez toi ça n'a

5 *Ferdinand. Je devrais revenir en fin de matinée. Ça serait probablement mieux qu'on dîne ensemble demain soir. Je te parlerai plus tard. Ciao ! Jenny. P.-S. Sers-toi du café, etc.*

pas de sens. Simplement ma difficulté d'écrire ailleurs à New York que dans ma chambre d'hôtel.

Puis il y a eu mes amours avec Jenny. Elle a rompu avec un mec qui vivait à New York, elle s'est acoquiné à un mec qui naviguait entre Paris et New York, le mec de New York qui s'appelle Mike est devenu l'un des meilleurs amis du mec de Paris, en l'absence du mec de Paris Jenny a eu d'autres mecs dans sa vie, le mec de Paris ne s'est pas privé non plus, je suis venu la voir au moins deux fois par an, je me suis partagé entre l'hôtel et cet appartement, j'ai eu ici ce que je crois être quelques bonheurs, de corps et d'écriture, nous avons rompu, puis c'est reparti, derechef rompu, derechef reparti, et maintenant c'est l'équivoque totale.

Je retourne à la cuisine, j'ai soif, je fais le geste d'ouvrir le frigo en regardant la photo en couleurs de format 10 x 15 cm que j'ai faite de Jenny un jour où elle était de passage à Paris, une charmante grimace, je lui avais dit fais-moi une grimace ma chérie ta plus belle grimace, et elle avait improvisé celle-là, une sorte de parodie de Nina Hagen, avec les yeux outrageusement maquillés, excessivement écarquillés, la langue tirée, depuis elle a mis ça sur la porte du frigo sous un attache magnétique. C'est l'endroit où elle me laisse des mots. Tout à l'heure, je suis entré dans la cuisine sans regarder vers le frigo, je me suis orienté vers le plan de travail et l'évier, à droite. Maintenant je découvre, sous l'attache magnétique, sous la photo de Paris, la petite feuille blanche avec des trous de spirale sur le rebord, je la tire, l'impression de refaire le même geste pour la millième fois, et cette pensée vague tu files un mauvais coton mon vieux, je découvre le mot qu'elle m'a laissé. Une phrase mystérieuse, c'est Jenny, et ce genre de phrase n'est pas dans ses habitudes, contraste avec notre rapide rencontre de cet après-midi, une phrase apparemment écrite au seuil d'un moment grave, soucieuse de lever un quiproquo, ou bien de gommer du silence trop lourd, ou bien mot griffonné dans le trop-plein, ou bien accès de gentillesse, Jenny a écrit :

Je ne t'oublierai jamais.

D'abord, je suspends mon geste : la main gauche sur le manche de la porte du frigo, la main droite tenant le papier. J'essaie de penser, n'y parviens pas, j'ai un réflexe mental pur, indicible, puis je me mets à organiser une réaction, je referme la porte du frigo, je retourne dans la chambre, prends mon stylo, reviens dans la cuisine, couche le papier sur le plan de travail :

Moi non plus.

18h50. Je suis assis. Ça fait une dizaine de minutes que je suis assis. Je regarde le paquet posé sur la table, le sac en papier brun encore tout humide. Le stylo décapuchonné. Je tends la main alors que, me levant, heurtant de la cuisse le dessous d'un tiroir, le stylo roule vers l'abattant, je le retiens au dernier instant. Me rassieds. L'abattant oscille imperceptiblement. Je me lève.

La porte.

Le couloir.

Je n'ai pas refermé le parapluie.

Je récupère le capuchon du stylo.

Je me retourne, revois la petite feuille avec des trous de spirale. Un moment l'idée me vient de la déchirer. Je la laisse.

Le couloir.

Je ne referme pas le parapluie.

La porte.

Je me dirige vers le coffre en chêne, m'arrête avant d'y arriver, me dirige vers la fenêtre, fais glisser un battant vers le haut, les bruits de la pluie. Des chuintements. Des automobiles qui glissent. L'air glacé. Je me rassieds. Je ferme les yeux. Les mêmes bruits.

J'essaie de faire le vide dans ma tête.

Je rouvre les yeux sur la surprise sonore du téléphone.

Échanges de bruits

Mike tout excité. Il est à deux pas d'ici. À côté du *Figaro*. Comment ça qu'est-ce que tu fous ? Je viens juste de croiser Jenny elle m'a dit que t'es chez elle. Ah bon. Ça y est c'est reparti pour un tour ? Mêle-toi de ce qui t'regarde. Bon bon j'ai rien dit. On a démoli mon hôtel. Merde t'aurais pu venir chez moi. J'suis pas là pour faire la bringue j'suis là pour travailler chez toi on peut jamais travailler. Merde ç'que t'es injuste tu voulais encore aller t'fourrer chez Jenny avoue. Mêle-toi de. Bon ça va si tu savais la vie d'ermite que j'mène si tu savais ç'que je. Ç'que tu ? Viens de faire tu verrais le déguisement. Développe. Suis à un tournant de ma vie *le* tournant. Explique-toi. Une expérience exceptionnelle. Vas-y accouche. Le traumatisme définitif. Bon écoute je t'aime bien mais j'suis crevé tu peux pas savoir sept heures et demie dans une merde d'avion à la con et que des rendez-vous foireux avec des soi-disant potes qui sont pas foutus de t'aider à. Hé bien voilà dis-le c'est gentil pour les copains. Je veux plus entendre parler de copains si tu veux être mon copain abrège. Tu t'souviens de la conférence où on a été? Quand ça?

Je m'en souviens parfaitement. C'était un jour de printemps, un de ces jours de mars où il pleut, Jenny n'est pas là, Mike appelle au téléphone. J'écris. Il écrit. Combien de pages t'as faites aujourd'hui? Je lui réponds que c'est une question d'Amerloque à la noix. Que seul un écrivain intoxiqué peut poser ce genre de questions. J'ajoute et combien de milles t'as courus aujourd'hui? Bon bon j'ai rien dit t'es tout seul? Pas tout seul j'écris. Jenny n'est pas là? Elle est avec ses kids. Fais comme moi vis en célibataire. C'est bien ce que j'fais. T'es toujours fourré chez Jenny et tu dis que. T'es jaloux? Moi jaloux Jenny j'ai déjà donné merci elle te rendra dingue Jenny tu verras. Arrête de t'immiscer s'il te plaît dans. Bon bon j'ai rien dit ça va. Ce jour-là, de fil en aiguille, ça se termine à plusieurs kilomètres de New York, en costard cravate, à un dîner-conférence. Avec toutes sortes d'invités. Des hommes, des femmes et des insectes. Nous y sommes allés par vice. Dans la voiture, Mike était déchaîné. Faut observer la réalité, il disait.

Le cirque. Il y avait là un professeur en *organisation du comportement*. Et un autre qui avait pondu un pavé sur le thème de *L'Autodéfinition: privilège ou fardeau?* Les deux planchaient sur le look. Conseil industriel sur l'image, ça s'appelait. On s'est bien amusés. À des développements d'un comique insurpassable. Sur le costume trois-pièces. Des délires effrayants. Des lignes de conduite amidonnées. Des prescriptions rigides. Des dogmes. Sur l'achat des cravates. Sur les pochettes. Pas de fantaisie telle une pochette rouge. Pas de barbe. Pour les femmes, costumes stricts susceptibles de passer pour un uniforme. Nous trouvions ça plus tordu que l'ex-*Petit Livre rouge de Mao*. Des milliers d'insectes étaient disséqués sous nos yeux. Des millions d'infarctus mis à plat. Des milliards de cancers. C'était comme si nous découvrions des choses que pourtant nous savions. Soudain elles prenaient une dimension étonnante sous nos yeux de péquenots à côté de nos pompes. D'astronautes de l'imaginaire évoluant sur une planète étrange.

L'auditoire riait quand il *fallait* rire. C'est-à-dire à l'une ou l'autre des anecdotes dont les conférenciers épiçaient leurs discours. Le plus mauvais romancier du monde ne les aurait pas inventées. Mike et moi, on riait à contresens. La salle entière, distribuée en groupes autour de tables bien mises, pouvait voir en gros plan deux paires de pompes et deux ostrogoths qui boitillaient à côté. Nous étions sur le derrière.

En gros, tout cela tournait autour du fric. Beaucoup de fric. Les conférenciers disaient aux gens que c'est à cela qu'on reconnaîtrait leur valeur personnelle. La valeur de leurs entreprises. Ils terminaient sur un slogan définitif: DRESS FOR SUCCESS – HABILLEZ-VOUS POUR RÉUSSIR. Applaudissements. Mike et moi, on s'est mis à applaudir un peu plus fort que tout le monde. À siffler les doigts dans la bouche. Nous étions en compagnie de quelques personnes très sérieuses. Dans la même auréole de prestiges douteux. Des peaux d'âne. Un ou deux bouquins. Un sens de la communication. La courtoisie. Un ou deux actes communs. Et là nous étions des voyous. Il y avait tout à coup une rupture du consensus. Dans la forme même. Ça y est nous y sommes, gueulait Mike, entre deux sifflets tapageurs.

La suite de la soirée a été catastrophique. Non tant à cause de notre dérapage qui, après tout, aurait été vite oublié. D'autant plus vite que nous étions des saltimbanques égarés parmi des géomètres. Il suffisait qu'on s'écrase. Qu'on retourne à nos chères études. Qu'on aille faire la bringue. Au lieu de quoi, nous sommes restés dîner. Toujours par vice. L'Amérique in vitro, disait Mike. Nous nous sommes mis à boire. À la fin du repas, c'est tout juste si nous n'avions pas les pieds sur la table. Mike avec sa bobine d'ancien de Berkeley. Sa binette de Blanc manant. Et moi avec ma coiffure semi-afro. Mon binocle d'Affreux. Unis dans cette irrépressible dilatation de rate.

Puis nous sommes partis sans saluer. Plantant là notre groupe de personnes très sérieuses. Certaines auraient été partantes pour déconner en petit comité. Mais là, nous avions dépassé les bornes. Notre départ a dû être un soulagement pour tout le monde.

Les kilomètres que nous avons parcourus en voiture pour rentrer furent graves. Mike évoquant Jenny. Moi malheureux de l'absence de Jenny. Nous étions malades de l'écriture. Nous étions malades de l'Amérique. Nous étions malades de la même femme.

Maintenant que Mike dit *la* conférence, il me vient à l'esprit que cet événement banal a pu déclencher quelque chose. Dans son travail. Dans nos rapports. Je pense au gamin rigolard du métro. Je pense au rapport de Jenny avec les kids. Je pense à ce qui nous lie tous, la trentaine franchie déjà. Un peu comme les passagers apeurés d'un paquebot qui coule. Les derniers gamins d'un monde qui s'enfonce. Mike répète tu comprendras. Nous décidons de nous retrouver au *Figaro* illico.

Je pose le téléphone sur le lit.

Je me baisse. Débranche la prise.

J'emporte le téléphone près du coffre en chêne. Le rebranche.

Je sors. La porte. Le couloir. La porte. Les clés.

Bientôt, le Portoricain verra, sur l'un de ses écrans de contrôle, descendre l'ascenseur numéro deux un individu flou, avec des pensées floues, qui a oublié de prendre son parapluie.

Je lui dis la même chose : hello.

Il me dit la même chose : *¿comme está señor?*

Je lui réponds la même chose : *¡muy bien gracias!*

Échanges de regards

Elle avait les yeux pers, les cheveux d'un noir de jais, taillés en brosse, et de loin on voyait les yeux. Elle les lançait dans le demi-jour comme on lance un cerf-volant. Avec cette force sans violence, d'avance accordée à la force et à la direction du vent, invisible mais ça se sent sur la peau des mains, sur le visage, sur tout le corps, le vent. Ça va vers le nord ou ça va vers le sud. Son regard, ça va doucement à hauteur d'homme, il suffit de jeter les yeux, alors elle les jette. Sur moi.

Elle s'appelle Fran.

C'est elle qui dira que son nom est Fran, *my name is Fran*, sur mon carnet j'écrirai FRANNE, elle dira non, posant son verre sur la table, s'emparant du carnet, disant que ça s'écrit pas tout à fait comme ça, je lui réponds c'est pour retenir, que je connais personne qui s'appelle Fran je connais Franz Frantz France la rime approximative avec femme, je disais n'importe quoi.

Elle biffe les deux dernières lettres, laissant FRAN, répétant la prononciation correcte, ça s'prononce comme ça, elle dit, mais ça s'écrit comme ça: FRAN. Et ce que je faisais à New York?

Et pffffff. Ça pouvait résumer la situation. Elle gonflait les joues et elle évacuait l'air pffffff.

Ma rencontre avec Fran a été simple. Le reste l'est moins.

J'avais couru de Sheridan Square au *Figaro*. J'étais trempé. Tel que Mike était assis, la face tournée vers la rue Bleecker, il ne pouvait pas voir Fran. Mike était dans tous ses états. Vêtu d'un trois-pièces de tweed. Gris-bleu. L'écharpe écossaise, qu'il avait gardée, laissait apercevoir la bosse d'un nœud de cravate assortie à la pochette, bleue. Sapé cadre, pensa Fran.

Tout à l'heure, elle avait pu observer son visage. Pas ce qu'on peut appeler beau, malgré les yeux, très doux. Et le menton fendu verticalement d'une fossette qui se rétrécit sous la lèvre inférieure, trop mince. Il avait posé son imperméable beige sur la chaise à sa droite. Et n'arrêtait pas de parler au Noir avec lequel il venait d'entrer dans le café. Il remuait les lèvres comme une carpe qui sort d'un étang.

Ce sera plus tard la version de Fran.

Le Noir, c'était moi. Le Noir l'avait vue. Fran se demandait si c'était lui. Elle attendait quelqu'un. Le Noir tournait le dos à la rue MacDougal, semblait écouter distraitement, regardant de temps en temps dans sa direction. Elle lui avait souri, timidement. Il lui avait rendu son sourire. Était-ce lui? Tout ce qu'on lui avait annoncé, c'était qu'il serait Noir, grand. On n'avait pas prévenu qu'il serait avec quelqu'un. J'avais gardé sur moi, ouvert, mon anorak rouge.

Fran ne comprenait pas ce que ces deux hommes fabriquaient ensemble.

De la table où elle avait choisi de s'installer, elle avait vue sur les deux hommes, la rue Bleecker et la rue MacDougal. Elle portait un polo en coton blanc et un pantalon de jogging bleu à bandes blanches qui tire-bouchonnait sur les baskets. Avait noué son blouson coupe-vent autour de ses hanches. Un sac à main en cuir d'agneau glacé jaune-ocre, patiné, sur le siège à sa gauche. Je pouvais parfaitement la voir. Même que j'ai pensé qu'elle se défiait l'hiver en fille du Nord bien dans sa peau et, je souris, le mystère de sa beauté.

Comment dire qu'une femme est belle en évitant les clichés? En montrant vraiment. Allez trouver des mots qui soient exactement ces yeux. Qui soient exactement le dessin de ces lèvres. Exactement ce sourire. Tout à l'heure, je suis entré la vue brouillée par la pluie, j'ai enlevé mes lunettes, commencé à les essuyer avec un kleenex en allant vers une table, sur les talons de Mike qui m'avait attendu dehors, sous les auvents verts. Nous nous sommes assis. J'ai remis mes lunettes. J'ai regardé autour de moi. Je suis tombé sur. À cette table d'angle. Cette image sur laquelle mon regard a d'abord glissé, cette surface lisse, irréelle. Puis ça a été un volume et des couleurs. Une masse. Et puis des épaisseurs, des courbes. Et puis des matières. Une densité de la peau. La peau des mains. La peau du visage. Le grain de la peau au toucher. Le regard. Le toucher du regard. J'ai reconstitué ce corps. Petit à petit. Par glissements de l'œil. Sur la bande-son du café et de la rue. Avec les choses d'ici. Avec leurs odeurs. Avec leurs formes. Avec nos gestes.

J'ai enlevé mes gants. Les ai posés sur la table, un carré de similimarbre juché sur un trépied métallique assez mastoc, à côté d'un pot en verre transparent contenant quatre fleurs blanches, que je n'identifie pas. Sur la table il y a, devant Mike, une salade d'épinards avec un œuf, du bacon, des champignons, des tomates, des pois chiches et une vinaigrette maison. Devant moi, un baba au rhum.

Des choses lourdingues face à ce corps.

Ce corps à moitié escamoté. Le pantalon de survêt bleu qui tire-bouchonne légèrement sur les baskets. Le sac en forme de besace me semble-t-il. J'ai mis un temps fou à retrouver le tableau tel que.

Trop d'éléments pesants dans la réalité du tableau. Il faudrait raconter des conneries, des choses comme elle m'est apparue comme la Sainte Vierge. Il faudrait mettre des auréoles. Des figures aussi pesantes que tout ce qui me gâche le choc de cette inconnue, l'apparition de cette jeune femme en face. Les paroles de Mike pèsent une tonne.

De temps en temps, je coule un regard vers la jeune femme assise là-bas, en face, dans la zone de pénombre où se tient Fran, c'est elle, le dos tourné à la boiserie qui délimite les deux parties légèrement dénivelées du café. Le niveau supérieur est vide, avec son mur tapissé de journaux français, les lithographies d'un peintre new-yorkais peu connu, les tables en bois verni ou en formica, les fleurs, les plantes vertes suspendues au plafond dans des pots en verre opaque. Et le chemin des toilettes. Au-dessus de la porte d'accès à celles-ci, un vitrail en pâte de verre rappelle qu'ici on ne dit pas toilettes mais HÔTEL. Des signes qui cherchent à être délicats et sont pitoyables.

Le niveau inférieur est à hauteur de la terrasse, déserte. On a laissé les auvents verts soutenus par des tubulures peintes de la même couleur, la pluie et le froid n'y invitent personne. Dominé par l'arborescence design d'un lustre et les feuilles pendantes d'une plante portée par un tronc d'arbre grossièrement creusé, accroché au plafond à l'aide d'un assemblage de chaînes et de cordes, quelque chose comme une gamelle à l'ancienne ou une selle de cheval, retournée. Vu par un myope. J'avais enlevé mes lunettes et me frottais les yeux. De fatigue.

Je ne veux pas savoir ce que raconte Mike. Je ne veux pas savoir qu'il vient, pour étoffer un chapitre du roman sur lequel il est en train de travailler, d'usurper l'identité d'un cadre. Le dilemme des dialogues, il dit. Ferdinand tu peux pas imaginer comme je déprime. Assez. Assez je ne veux pas savoir et toi ça marche? Je ne veux pas savoir et puis les gens croient que les livres s'écrivent tout seuls il faudrait qu'on mette des enseignes à l'ancienne sur la façade de nos immeubles il faudrait qu'on accroche des représentations stylisées de moines copistes avec de la bave des sueurs du sang des glaires. Je ne veux pas savoir et en plus je suis certain que ce truc-là va traîner une éternité chez mon agent aucun éditeur n'en voudra. Quand Mike dit éditeur, il s'agit d'un personnage abstrait. Dieu planqué. Derrière des saints, des agents (de la circulation littéraire).

Or la femme d'en face existe.

Je voudrais la regarder une éternité, jusqu'à ce que je comprenne pourquoi elle est si belle, pourquoi Jenny ne m'aime plus, pourquoi mon pote Mike est si malheureux.

19h24, Greenwich Village. Un Blanc et un Noir marchent, en direction du square Washington, sur le trottoir de gauche de la rue MacDougal. Ils sont sortis du café *Le Figaro* par la porte en bois massif marron donnant sur la rue Bleecker. Le Blanc a regardé à gauche vers MacDougal. Le Noir a regardé à droite vers Sullivan Street. Ils ont hésité un moment, chacun montrant du doigt la direction vers laquelle il était tourné, un moment immobiles. Puis le Blanc a fait le geste de suivre le Noir vers l'ouest, tandis que celui-ci partait vers l'est.

Le Noir se penche visiblement en arrière, se redresse, donne une petite tape sur l'épaule à son compagnon qui éclate de rire, lui aussi se met alors à rire, puis ils ont tous les deux pris à gauche, tourné au coin à droite, s'orientant nord.

Éloge des glaces

Je marche d'un pas plus rapide que Mike. La pluie a cessé. Il fait froid. J'ai balancé à Fran, par-dessus l'épaule de Mike, juste avant de quitter le café, un de ces clins d'œil assassins qui peuvent tout signifier. Salut. Qu'on se reverra. Que la vie c'est comme ça on se rencontre on se sépare. Ou que bouge pas change pas de main je reviens tout de suite. Elle a pris son sac, j'ai cru qu'elle s'en allait, elle est restée assise, elle a ouvert le sac, Mike m'a demandé ce que j'avais l'intention de faire de ma soirée, je lui ai répondu que bof vaguement envie de travailler et que finalement non il pleut pas je vais peut-être traîner un peu dans Manhattan que regarde je suis équipé pour, je lui ai dit qu'aucune considération esthétique ne me fera renoncer à cette idée simple que quand il fait froid il faut se couvrir, Mike m'a dit de faire attention à ne pas me faire agresser, je lui ai répondu que c'est aux autres de faire attention. Nous étions debout, il refermait son imperméable beige sur ce qu'il a appelé son déguisement de la journée, je lui ai dit que je le voyais bien sortir de son gousset une montre en argent au bout d'une chaînette en argent, et il y avait sur la chaise à sa droite, cachée tout à l'heure par l'imperméable, une serviette en coton écru à l'effigie (inscrite sur la bride en cuir beige clair surpiqué de fil beige foncé) du musée d'Art moderne de New York, elle a ouvert le sac, et je suis parti sur cette image unique d'elle ouvrant le sac, tandis que j'exécutais mon clin d'œil.

Mon dernier mot entendu a dû être un *hi* lancé à une serveuse qui avait passé sur son pull une chemise à motifs caraïbes très colorés (voiliers, cocotiers et parasols) nouée à la cannoise sur la place du nombril, au-dessus de la poche du tablier d'où dépassaient des pailles. Dehors, la brise glacée. Et un car de police qui roulait à pas d'homme. J'avais distraitement enregistré les reflets tournoyants du gyrophare. Une Cadillac mauve qui fonçait à moyenne allure a ralenti derrière le car de police, lequel était stoppé maintenant devant *Le Figaro*, un des deux flics en est descendu, a claqué la portière derrière lui, s'est orienté vers l'entrée du café, passant près de nous dans un vacarme de talkie-walkie, a poussé la porte. Ils sont encore là lorsque, angle West Third et MacDougal, me retournant pour parler à Mike, qui vient d'acquérir la dernière édition du *New York Times* d'une distributrice mécanique et marche en lisant, je remarque les traînées de lumière rouge balayant l'échelle sombre accrochée à la façade d'une maison.

Mike me dit que demain il devrait faire beau. Que ça y est y'a encore Reagan qui serre la vis. Pourquoi je fais pas une opération kamikaze à Port-au-Prince. Que le dollar fait des galipettes. La guerre entre Pepsi et Coca-Cola continue. Les autres guerres aussi. De temps en temps, il dit God. Me raconte un crime affreux. Une délicate affaire de pollution. Des soldes chez *Macy's*. Ouais je sais. Je lui montre mon porte-monnaie jaune. *God.* Nous sommes deux squelettes d'animaux préhistoriques échoués sous des ruines de mots, d'images, de sons. Nous avons été enfouis sous l'arcade de Washington Square. Le squelette d'un Homo sapiens qui devait mesurer environ six pieds a été retrouvé à côté du squelette plus petit d'un autre hominidé. Ils devaient être debout l'un en face de l'autre au moment de la catastrophe.

Nous sommes sous l'arcade. Je dis à Mike je retourne au *Figaro*. Il me regarde ahuri. J'enlève le gant d'une main avec l'autre main. Je tire sur la glissière de la fermeture éclair de mon anorak. Glisse la main dégantée dans une poche intérieure. Puis une autre. Je fourrage partout avant de sortir un calepin. Je cherche le numéro. Je ne le trouve pas. Je pense à la boîte d'allumettes. Jaune citron, aux flancs blancs et lisses, la bande marron, et les douze caractères rouges du nom du café. Je lis le numéro à Mike. Je lui dis tu m'appelles à tout hasard si tu m'trouves pas chez Jenny.

Je le regarde traverser le square d'un pas calme, s'engager dans la Cinquième Avenue, disparaître.

Je tourne les talons et me mets à courir comme un dératé, je reprends le même itinéraire en sens inverse, il est 19h53, je reçois sur la tête des gouttes d'eau tombées d'un arbre, j'accélère, rue d'après la pluie, l'asphalte brillant les carrosseries des bagnoles, sous les lampadaires, je passe la porte, je la retrouve à sa table d'angle, je lui souris, elle me sourit, je lui dis en soufflant que je m'appelle Ferdinand elle me dit qu'elle s'appelle Fran et qu'elle est contente de me rencontrer, *nice to meet you Ferdinand, nice to meet you Fran*, nous disons les derniers mots ensemble, sourions, tandis que je m'assieds. Elle avait sorti de son sac *Ulysse* de James Joyce, dans sa version française en poche, il y a du rose, il y a du vert, elle a le livre dans la main, non non je ne la dérange pas, elle parle d'une voix très douce, à un débit assez rapide, avec soudain des inflexions chantantes, passe de l'anglais au français, elle attend quelqu'un mais je crois qu'il viendra pas, j'ai cru un moment que c'était toi, c'est quelqu'un que je connais pas, tout ce qu'on m'a dit c'est qu'il est Noir, grand, c'est pour ça que, de toute façon pffffff je m'en fiche, non non je ne la dérange pas, elle voulait voir comment c'était Joyce en français, quand je suis revenu elle en était à la fin du monologue de Molly Bloom. (Lorsqu'elle dit *oui ma fleur de la montagne et d'abord je lui ai mis mes bras autour de lui oui et je l'ai attiré sur moi pour qu'il sente mes seins tout parfumés oui et son cœur battait comme fou*, et cætera.)

La fille à la chemise caraïbe vient. Dépose devant elle une coupe de glace. Elle dit qu'elle aime beaucoup les glaces. Elle dit beaucoup de choses. Vite. Je suis traductrice. De littérature française. Ça existe encore? Quoi les traducteurs ou la littérature? Esprit rapide. Son débit est même très rapide. Elle mélange tout. Le type qui était avec toi. Il s'appelle Mike. C'est un pote. Un drôle de zèbre Mike. Elle a refermé le livre sur un doigt de la main gauche. Une pause. La littérature française les éditeurs américains s'en foutent. La grosse cavalerie ça oui. Les glaces. Elle répète j'ai toujours aimé les glaces. Et maintenant les bruits de la clientèle du jeudi soir. Tout un monde d'*artsy-fartsy people*, c'est elle qui m'apprend le mot, gloussant derrière le revers de sa main, des gens qui pètent et font de l'art, pour lesquels le mercredi c'est trop tôt et le vendredi trop ringard, mais les modes changent très vite à New York, ils vont se répandre dans la ville comme du gaz, envahir les boîtes, elle avait envie de finir sa glace en vitesse, et je lui racontais des conneries, elle n'arrêtait pas de glousser, de faire pffffff, je lui disais que moi j'aime la glace au rhum et aux raisins je ne la trouve qu'à Manhattan voilà pourquoi je suis ici c'est l'une des raisons futiles hélas j'en conviens qui me font revenir à New York régulièrement au moins deux fois par an j'ai envie d'une glace et je saute dans mes jeans dans mon Boeing, et que rhum c'est mon origine, et raisins j'imagine que j'aime le feu roulant des p'tits mamelons sucrés sur la langue quand la glace a fondu dans la gorge et que l'hiver envahit la poitrine, et qu'on m'a toujours appris que la poitrine est le siège de l'âme cette idée me plaît assez, elle gloussait, elle faisait pffffff. Et moi, je contemplais son âme.

Il est passé 20 heures. Je sors mon carnet. J'écris son nom. Elle pose son verre sur la table. S'empare du carnet. Rectifie. Ça s'prononce comme ça, ça s'écrit comme ça.

Et je pensais que je n'avais plus du tout envie de travailler, que le bonheur c'est ici et maintenant, on passait du coq à l'âne en dansant sur le volcan des langues, maintenant elle n'avait pas de boulot, elle continuait à faire des trucs pour pas perdre la main, elle a essayé aujourd'hui de trouver la meilleure traduction possible d'un, elle cite un extrait, commence une phrase que je termine, elle s'étonne, elle me dit qu'elle trouve ça lumineux mais de là à traduire cette lumière, je lui réponds hélas je ne peux rien pour toi, je suis plutôt là tout de suite (je ne le lui dis pas) dans l'envie de désapprendre la langue, d'en oublier le lexique, la syntaxe, la grammaire si strictement apprise, non pas d'aller ou de retourner à une autre langue, mais d'oublier toutes les langues acquises, d'anéantir en moi toutes les langues apprises, toutes les langues, de ne rien parler, même pas l'onomatopée minimale, rien, le silence.

Elle me regarde.

T'es bizarre comme mec, elle fait. Elle ajoute qu'elle ne sait pas encore ce qu'elle va faire de sa soirée. Je lui dis moi non plus. Je fixe ses yeux. Puis je regarde son visage. Puis tout elle. De nouveau ses yeux. Je pense putain c'est pas possible d'être aussi belle. J'essayais de faire le vide dans ma tête. J'y arriverai.

Plus tard. La scène ne me paraît pas réelle. Nous traversons Sheridan Square, vers l'ouest. Nous ne convenons pas d'un but, nous marchons. Je suis comme un ouvrier qui va se balader un dimanche alentour de son usine. Je lève la tête, je dis j'habite là, elle lève la tête, elle dit moi j'habite plus nulle part. Elle se mord la lèvre. Puis sourit, vite détendue.

Elle sprinte dans l'angoisse avec un sens très sûr de nos ressemblances. J'essaie de ne pas réfléchir. Mille sensations m'assaillent. L'histoire qu'elle raconte, par bribes, par éclairs, me ramène à cette vérité immédiate qu'elle est avec moi, nous marchons. Je ne suis pas vraiment dans la position du chasseur, ni du séducteur. Nous sommes unis dans une pure dépense de mouvements, de paroles. Le désir de cette dépense-là.

Elle parle. J'entends moi j'habite plus. J'entends je ne revivrai pas de sitôt avec un mec.

J'entends je vivais avec un mec il y a encore trois heures. J'entends terminé. J'entends je voudrais marcher. J'entends après passer un coup de fil. J'entends Bill. Plus jamais revivre avec. Me persécute sans cesse. J'entends on a pris un appart dans l'East Village. Au début il était très gentil. J'entends je venais pour la première fois de ma vie de. J'entends rompre avec mes parents. J'entends un père raciste. Je me rends compte qu'elle n'a pas prononcé le mot, elle a dit *biased*, un terme moins fort. J'entends papa est. J'entends maman n'avait rien dit elle dit jamais rien de toute façon.

Elle a soudain un regard vide, intensément vide, beau. Elle a une main ballante, l'autre tient son fourre-tout en forme de besace qu'elle bouge en parlant, nous ne marchons pas vite. Au début il était très. Bill était. *Jesus*. Il disait tu vas voir on les aura ces salauds. Parlait comme ça. Au fond il était très gentil. Était. Plus maintenant. En tout cas plus avec moi. L'impression d'entendre une histoire connue. Dont j'ai pas envie.

Je m'efforce de ne pas écouter. Comme si d'écouter. Comment dire ça? Comme si d'écouter cette histoire risquait d'abîmer sa beauté. Je la veux sans histoire. J'essaie de ne pas penser. Je voudrais qu'elle me raconte des histoires légères. Des choses sans poids. Des récits en plumes. Des récits en apesanteur. Des trucs qui tiendraient dans l'air tout seuls. De minuscules débris d'aigrettes qui voleraient dans cette lumière froide de Christopher Street où nous marchons maintenant. Au lieu de quoi j'entends on les aura ces salauds. J'entends en plus quand il n'arrive pas à peindre ça n'arrange rien il devient hyper-destructeur. J'entends Harlem l'a complètement bousillé.

Elle marche d'un pas léger en racontant des histoires lourdes. Je ne saurais pas qualifier avec exactitude cette voix. Il n'y a pas de violence dans sa voix. Il y a de la force dans sa voix. C'est une voix à l'image de ses yeux. Une voix de cerf-volant. Une voix larguée dans la violence du vent, dans sa force, une voix de Manhattan. J'entends Brooklyn. J'entends la maison de mes parents à Brooklyn. Mais c'est une voix de Manhattan. De temps en temps, elle se tait. Ce sont des silences de Manhattan. Des silences de détresse. Des silences de sirènes de car de police. Des silences de vies en miettes. Je la voudrais avec des silences sans attribut. Avec des silences comme son regard tout à l'heure, vides.

J'entends je voudrais marcher toute la nuit. J'entends je n'ai pas peur. J'entends peur des chambres d'hôtel ça oui. Nous ne savons pas où nous allons. Nous ne décidons rien. Ça fait bien trois quarts d'heure que nous marchons. Je me rends compte que j'ai froid. J'entends passer un coup de fil.

Jane Street, elle est dans une cabine téléphonique. Je suis dehors. Elle parle. Elle est de taille moyenne, à cette distance de moi. Quand nous marchons côte à côte, elle est petite, je la regarde presque en plongée. Elle est belle, absolument belle. Le sentiment d'une histoire qui s'amorce.

L'envie de la désamorcer au même moment. Je l'ai trop écoutée. Son image debout dans cette cage en verre, un téléphone dans la main, son sac posé devant elle, est parfaite. Il faudrait la laisser là. Pétrifiée. Avec ses mots que je n'entends pas. Il faudrait abandonner là cette image vue dans Manhattan, Jane Street, un soir d'hiver, après la pluie. Je l'ai trop regardée.

Elle revient. Elle sourit. Elle dit les gens m'étonneront toujours. Elle se tait. Nous sommes debout, face à face. Elle se mord la lèvre. Puis elle sourit. Elle répète les gens. Elle dit t'es le seul mec sympa que j'aie rencontré aujourd'hui. Je lui réponds j'en connais qui diraient pas autant. Je ris en disant ça. Je pense que je viens de rire bêtement. Je lui dis merci quand même. Je pense que je viens de dire au moins deux mots de trop. Elle dit tout à l'heure au *Figaro* t'étais très drôle tu dragues toujours avec des conneries comme ça? Je lui dis j't'ai pas draguée. Elle fait pffffff. Elle dit de toute façon je te trouve sympa mais je te préviens profite pas de la situation. Quelle situation? Pffffff. Elle sourit.

Bon qu'est-ce qu'on fait? Elle dit j'ai envie de marcher. J'ai froid. Je renifle. Je commence à avoir les mains et les pieds engourdis. Nous sommes debout face à face. Son corps. Ses mouvements. Mon émerveillement devant cette femme inconnue. Cette surprenante disponibilité. Le contraste entre l'histoire qu'elle m'a racontée et son air détendu. Les images du café. Ce corps devant moi. Ses gestes. Ses déplacements. Son équilibre. Cette voix. Ces yeux pers. L'atmosphère d'après la pluie. La chaussée mouillée. La lumière. Les sons de la rue. La circulation. Les gens auxquels nous ne prêtons pas attention. Cet itinéraire sans objet. Sa manière de marcher tout aérienne. De raconter des choses lourdement quotidiennes sans être misérable. Cette façon de dire entre les mots. Avec les mots. Sans les mots. Ce corps maintenant immobile devant moi. Cette bouche qui dit t'es le seul mec sympa. La scène ne me paraît pas réelle.

C'est con, mais y'a mon cœur qui se met à battre très fort.

Ses yeux. Ses cheveux très noirs. Ce prénom de Fran. Nous sommes assis dans un café, dans une cour, Barrow Street. Elle parle de Mike. Elle dit pas ce qu'on peut appeler beau malgré les yeux très doux. Elle l'a vu quand Mike s'est retourné. Il remuait les lèvres comme une carpe qui sort d'un étang. Je dis t'exagères. Tu veux que je l'appelle tu verras. Elle dit non. Sur un ton à mi-chemin entre l'excuse et j'essaie de trouver quoi, ne trouve pas. Je lui dis Mike aujourd'hui a fait une chose terrible tu peux pas savoir. Je lui raconte. Je lui dis je saurais pas te raconter les détails c'est toi que je regardais tout l'temps qu'il parlait. Elle dit à ce point! Je dis à ce point oui. Elle dit ça tombe très mal j'te trouve très sympa mais ça tombe très mal. Baisse la tête. Fixe la tasse de thé.

Sa bouche. Elle se mord la lèvre. C'est le moment où ses yeux expriment quelque chose qui me semble être l'angoisse. J'entends ça tombe très mal. Au moment où elle est en train de se mordre la lèvre, je dis qu'est-ce qui tombe très mal? Elle dit t'es prévenu. Je ne sens plus ma fatigue. Sensation d'éveil extrême.

Plus tard encore. Au Chelsea Place, sur la Huitième Avenue. Avec Alex, un chanteur noir mi-bluesman mi-crooner. Un mec qui te chante des mélodies pas possibles d'amour, de ruptures, de destins noués, d'amants qui s'embrassent sur le gouffre. Il y a un piano. Il y a un bar autour du piano. Il y a la pénombre. Quelques personnes. Des couples surtout. Et la belle voix grave d'Alex. Avec de soudaines retombées.

Alex s'arrête de chanter. Vient à notre table. Je sais à l'avance la conversation que nous allons avoir. La seule nouveauté c'est Fran. *Hi* Alex je te présente Fran. *Hi nice to meet you* Fran. Sinon la routine. Voici. Quand est-ce que tu viens chanter à Paris? L'an prochain j'crois. Ça fait une éternité qu'Alex doit venir chanter à Paris l'an prochain. Au mot de Paris, ses yeux brillent. Il nous raconte d'autres histoires pas possibles. Le mal de vivre d'un chanteur mi-bluesman mi-crooner avec une belle voix de basse et des courants d'air dans l'existence. Nous sommes des magnétophones mis en présence une ou deux fois l'an depuis plusieurs années. Notre poignée de main met la bande en marche et ça va tout seul. Bye bye Alex. L'an prochain à Paris.

Et de nouveau ces mélodies qui me feront toujours fondre. Le bazar d'Alex.

Je n'écoute pas au second degré. J'apprécie cette ambiance pour sa légèreté même. Fran ferme les yeux. Il me plaît de terminer ainsi cette journée, alentour de minuit, avec Fran qui ferme les yeux, avec ce chant de la perte, avec toute cette pyrotechnie d'histoires simples et répétitives, avec tout l'artefact d'un artiste de la tristesse, Fran ferme les yeux, c'est fou ce qu'elle est belle, c'est fou ce que j'ai envie d'elle.

Au sortir de la boîte, son air d'animal perdu. J'entends envie de marcher. Je lui dis d'accord on marche.

Ce que disent ses silences

Nous marchons dans la ville violente et tendre. L'impression, alors que ma fatigue revient, le froid nous dégrisant, que nous pourrions marcher encore longtemps, errer ainsi, sans projet, sans fin, dans des décors lugubres de rues bordées de maisons silencieuses, d'entrepôts, de boutiques, avec le vent glacial, alors que mon désir tour à tour s'aiguise et s'estompe, envie de la prendre dans mes bras, envie de la laisser là avec sa tragédie transparente. Un mec du nom de Bill. Noir. De Harlem. Peintre. Pour elle tout va mal. Son travail va mal. Les éditeurs américains traduisent de moins en moins. Ses amitiés vont mal. Quand on n'a pas d'endroit où aller, quand on a envie de marcher toute la nuit, quand on sort d'une cabine téléphonique en disant les gens m'étonneront toujours, c'est que rien ne va plus, à supposer que quelque chose ait jamais été. Bill la maltraite. Elle maltraite Bill. N'importe, ses amours vont mal. Des parents qui ont raison à peu de frais. Je les vois d'ici. J'entends on t'avait prévenue ma petite. J'entends Bill. J'entends papa. J'entends maman. J'entends Brooklyn. La maison de mes parents. Elle ne parle plus. J'entends encore tandis que nous marchons. C'est maintenant qu'elle parle fort. Ses silences résonnent très fort. C'est maintenant que je l'écoute. Tout à l'heure, je percevais les relations. La logique d'ensemble. Maintenant j'entends les détails. Je ne décroche pas. Je m'entends lui dire, dans le café, dans la cour, Barrow Street, je m'entends lui dire ils doivent bien t'aimer tes parents t'exagères ça s'est jamais vu des parents qu'aiment pas leurs enfants y'a qu'à t'regarder le résultat n'est pas mal je dirais même c'est bien très bien. Elle ne parle pas. Je reconstitue les chaînons manquants. Voici ce qu'elle raconte. Son père est employé du gaz. Sa mère a d'abord commencé à travailler dans l'industrie textile, puis a consacré son temps à l'élever, elle la fille unique. Quand Fran a eu l'âge de se débrouiller toute seule, elle s'est même très bien débrouillée, impasse classique, la réinsertion dans le monde du travail n'a plus été facile pour la mère, elle a été sous-employée, puis ça a été, puis ça n'a pas été, le temps accomplit son travail de taupe, creuse des rides, donne des pas mal assurés. Je les vois d'ici comme si je les avais faits. Un couple d'Américains authentiques. Fiers de célébrer Thanksgiving Day tous les ans. Des braves gens. Blancs. Anglo-saxons. Protestants. Travailleurs. Ils ont même fini par payer à la banque leur maison de Brooklyn. Fran n'a pas été malheureuse. Ils étaient fiers d'elle comme de l'Amérique. Fran a été malheureuse. Quand on marche dans les rues de Manhattan après minuit avec un grand Noir qu'on ne connaît pas, quand on marche sans fin, qu'on ne dit rien, qu'il ne dit rien, et qu'on marche dans le vent glacial qui fait voler des cartons, des chiffons et tomber les poubelles, et qu'on n'a pas peur, et qu'on continue de marcher, et qu'on a envie de marcher toute la nuit, c'est qu'on a été malheureuse. Elle a trop parlé et je l'ai trop écoutée, trop regardée. Mes jambes étaient faites pour courir. Pour la plaquer avec ses histoires. Sa vie plombée. Au lieu de quoi j'ai marché. Au lieu de quoi je marche encore avec elle.

Something like a bird

Le chauffeur de taxi est un mulâtre râblé avec des favoris en forme de bottes de cow-boy. Il conduit vite, en sifflotant, évitant les nids-de-poules par un slalom inutile. La Huitième Avenue est un long défilé de bosses qui transforme le véhicule à la suspension douteuse en vibromasseur roulant. De la chaussée s'élèvent des trombes de fumée blanchâtres. Comme si nous nous déplacions dans une ville fraîchement sinistrée, où le colossal paquebot de Madison Square Garden et celui de la gare routière, et des nids illuminés d'oiseaux mythologiques, des ruches géantes d'abeilles phosphorescentes, auraient échoué. Comme si l'île de Manhattan n'était que l'effet très ponctuel d'un mouvement de bascule de la terre entière, le moment provisoirement protégé d'une inclinaison cosmique qui se poursuivrait. Avec des échappées de lumières vers la 42e Rue, en est, des feux follets sur le fleuve, en ouest, des météores tout au loin au-dessus de Central Park, devant nous, vers le nord où nous allons, corps noctiluques, dans la nuit mobile, corps secoués, filant vers rien, corps rompus.

Devant l'hôtel, je lui dis de m'attendre dans le taxi si elle veut, ou de venir avec moi, de toute façon j'en ai pas pour longtemps. Elle sort mais ne vient pas, restant debout dans l'angle ouvert de la portière, s'accoudant au toit de la voiture jaune, pour prendre l'air elle dit. Le ronflement du moteur disparaît dans la porte-tambour. Le groom qui m'a raconté l'histoire des rats se fend d'un sourire qu'il accompagne d'une inflexion mécanique de la tête. C'est pour ma valise. Vous avez le ticket? La voici. *Thank you* (il glisse sur la première syllabe et, sur la seconde, monte d'une note). Il s'en va vers une porte dérobée derrière le guichet en faisant tinter une grappe de clés accrochées à une pièce de bois. Du fond clair-obscur où se tient le bar, la voix tamisée de Sarah Vaughan, elle chante *The man I love*, c'est l'endroit où elle jette *You look at me and smile, I understand*, tu me regardes, tu souris, je comprends. Ça me fait penser à quelqu'un, à une histoire de jument foudroyée, à une fille que j'ai follement aimée, trois nuits de suite. Et je me dis qu'avec Fran il n'y aura peut-être même pas une nuit. Le groom revient en traînant sur le carrelage ma valise qui est en fait un grand sac ouvrable en portefeuille où l'on peut ranger une quantité inimaginable d'affaires, c'est ma maison, je l'appelle aussi ma coquille d'escargot et lui témoigne beaucoup d'affection et d'attentions. Ne la traînez pas par terre s'il vous plaît, dis-je sèchement. Je ne lui donne pas de pourboire.

La portière est toujours ouverte, mais Fran s'est rassise, apparemment engagée dans une conversation avec le chauffeur qui a éteint le moteur. Je me dirige vers la malle arrière, qu'il ouvre à partir d'une commande intérieure. Avec précaution je soulève ma maison et la niche entre une roue de secours et un cric, non sans avoir vérifié s'il n'y a pas des choses pointues, des bouts de fer sournois. Je regagne ma place, referme la portière, Fran se penche à mon oreille, murmure que le chauffeur est un Haïtien. Je sais. Comment t'as su ? Elle me demandera ça plus tard. Vous êtes bigleux les New-Yorkais y'a un demi-million d'Haïtiens dans cette saloperie de ville.

Je salue en créole le chauffeur qui me souhaite *Kinbé fò dyab!* Tiens bon diable! Et redémarre vers Christopher Street. Je porte ma coquille d'escargot de la main droite, puis la main gauche, puis la droite et ainsi de suite. Elle est lourde. Nous avons nos habitudes. Il m'arrive même de l'engueuler, oh gentiment. Je suis dans une position plus inconfortable que le fou qui traîne dans la cour de l'asile, au bout d'une ficelle sale, sa brosse à dents qu'il prend pour son chien. Lui au moins a la certitude de la folie qu'on enferme. Moi je serais plutôt le fou que personne ne songe à enfermer. Je sais que ma valoche n'est pas une vraie maison et ça m'emmerde. Si encore c'était une vraie valoche avec des pieds et tout, elle monterait chez Jenny toute seule. Bref, entre l'entrée de l'immeuble et la porte de l'appartement, j'ai le temps de raconter à Fran quelques blagues pour la détendre, car elle est un peu tendue. Devant la porte, tandis que le verrou grince et que je tends théâtralement l'oreille pour jouer à l'expert en serrures difficiles, la tête dévissée d'un quart, son visage face au mien, je lui souris. Elle dit tu penses qu'à m'sauter c'est ça?

La porte s'ouvre. Vas-y après vous madame. Le ton faussement dégagé du mec culpabilisé par le caractère élémentaire de son désir, alors qu'il sait bien qu'au fond il vaut mieux que ça, elle aussi, mais que la vie c'est comme ça, et puis merde t'es pas obligée de baiser, je te violerai pas, on dort là, et puis ciao! Je le lui dis autrement. Que oui j'ai envie de la sauter. Que les choses sont plus complexes que ça. Que de toute façon c'est elle qui décidera parce que je suis trop flemmard pour violer une femme. Je lui balance ça tandis que je me baisse pour ramasser le parapluie laissé ouvert dans l'entrée, le referme, le manche dans une paume, l'autre paume poussant sur le bout, jusqu'au clic, qui survient comme une ponctuation au moment où j'ai dit: violer une femme. J'ai conscience qu'il n'y a ni agressivité, ni même de l'ironie dans mes paroles. Plutôt quelque chose comme une lassitude réelle. Et je pense ma chérie tel que c'est parti même si on baisait ça serait un mauvais coup. Elle est restée dans l'entrée. Viens. Fais comme chez toi. Tu veux boire quelque chose?

Elle s'assied dans le petit lit austère de Jenny. Je lui demande ce qu'elle aime comme musique. Que du jazz et du classique. Ça tombe bien.

J'ouvre le coffre en chêne où Jenny garde ses cassettes, j'en extrais une poignée au hasard, je les pose sur le lit, choisis ce que tu préfères, je retourne au coffre, d'autres cassettes, elle s'inquiète de savoir si je dérange pas un ordre, je lui dis que non Jenny et moi, elle ne me laisse pas terminer la phrase, ou sans doute est-ce moi qui ne la termine pas, Jenny et moi. Elle fait quoi, cette nana? Je suis assis à côté d'elle. Elle tient dans la main une cassette de Billie Holiday. Elle bricole dans l'social elle est un genre de travailleuse sociale avec des gosses un peu difficiles, je lui réponds. Elle dit d'accord pour Billie? Le jour où je serais pas d'accord pour Billie. Je me lève, lui prends la cassette, vais vers le coffre, me tiens en équilibre le cul sur les talons le temps de mettre en marche l'appareil dont je découvre qu'il n'était pas branché, ce que je fais, et la voix. Elle dit *I'm happy when I'm with you*, je suis heureuse quand je suis avec toi, je réenroule au début de la bande, et je me lève. Tu veux pas boire quelque chose?

J'ouvre le frigo que je referme tout de suite sur le regret de n'avoir pas fait de courses dans l'après-midi et le constat que Jenny est à la colle avec son mec. En général il y a toujours au moins à boire chez elle. Cela me ravit. De la cuisine, je crie à Fran qu'il n'y a rien. C'est pas grave on va pas en mourir. Qu'est-ce que t'en sais on meurt de moins que ça. Je peux téléphoner? Fais comme chez toi je te dis. Je la retrouve avec le téléphone sur les genoux, à la même place, le fil tendu dans le passage vers ma table de travail, comme un piège pensé-je en souhaitant que finalement elle soit en train d'appeler Bill, on se pardonne, retour à l'ordre conjugal, et moi au travail, j'enjambe le fil du téléphone et vais m'asseoir devant mes acquisitions de l'après-midi. Elle vient d'appuyer sur la dernière touche, elle raccroche en catastrophe, *oh boy* il est là. Je ne réagis pas. Il est 2 heures du matin.

La voix de Billie Holiday répète qu'elle est heureuse quand elle est avec lui, lorsque Fran s'approche de la table et me dit qu'elle est vraiment désolée mais y'a personne que j'peux appeler. Je lui dis y'a jamais personne qu'on peut appeler c'est une loi on est fatigués tous les deux tu dors ici sur le lit si tu veux moi je prends un sac de couchage et je dors dans la petite pièce à côté. Je suis tellement fatigué que je ne suis pas sûr de pouvoir dormir. D'autant plus que pour moi maintenant compte tenu du décalage horaire il est 8 heures du matin heure de Paris. Théoriquement je suis à ma table en train d'écrire. Il y a un léger agacement dans ma voix, que je me reproche. Après tout, je l'aurai cherché.

Jenny utilise peu sa baignoire rose bonbon.

Elle y a mis une longue poupée en chiffon. Patchwork coloré patiemment exécuté par sa grand-mère, vieille Polonaise bavarde qui aime à me rappeler l'odyssée de ses compatriotes qui, jadis, embrigadés dans les armées de Napoléon, expédiés au sein d'un corps expéditionnaire à Saint-Domingue, en vue d'y mater la révolution des esclaves, choisirent de déserter et rallièrent le camp des va-nu-pieds en colère.

Je déménage la poupée avec la même tendresse respectueuse que je voue aux livres, même les plus éloignés de mes goûts, et aux matériaux d'écriture. Je la pose sur la table. Puis je retourne à la salle de bains. J'actionne les robinets d'eau chaude et froide, en poussant la chaude à fond. Je me déshabille pendant que la baignoire se remplit. J'enfile un survêtement de Jenny. Reviens pieds nus dans la chambre. Fran est devant la table, elle regarde la poupée, je lui dis je suis désolé. Elle répond c'est moi qui suis désolée. Elle ajoute si seulement j'avais pas si peur d'aller à un hôtel toute seule. Je lui dis que je suis sérieux quand je lui propose de prendre le lit. Que si elle veut on va se mettre d'accord sur une chose : on dort.

Proféré comme une formule magique : on dort. J'avais beau essayer de faire le vide dans ma tête, je ne pouvais m'empêcher de penser aux *Belles Endormies* de Kawabata : *Voici que la nuit me prépare des crapauds, des chiens crevés, des noyés.*

Je reprends la poupée, la rapatrie dans la salle de bains, en lançant à Fran, à travers la porte entrouverte, un peignoir de Jenny. Tu as le choix entre prendre un bain avant moi avec moi après ou pas du tout. Elle ne réagit pas. Je pose la poupée sur la cuvette du lavabo, la tête tournée vers l'endroit où tout à l'heure je sais que j'aurai la mienne, appuyée contre le carrelage, le corps dans l'eau. J'aime beaucoup son regard de chien battu. Je n'ai jamais eu une seule manière de rustre avec elle. À l'époque de mes amours tourmentées avec Jenny, on s'engueulait, elle me disait merde on se voit pas plus de la moitié de l'année et quand on se voit c'est pour s'engueuler, je répliquais c'est toi qu'as commencé, au fond j'en savais foutre rien, elle non plus, personne savait qui avait commencé quoi, c'était comme ça, je pensais juste une merde de couple à la con, et que peut-être au fond de moi-même je ne pouvais pas me passer d'elle, alors je lui balançais après tout j'peux parfaitement me passer de toi, et je m'emparais de la poupée avec une douceur d'autant plus spectaculaire que je savais ce qui allait se passer, je me faisais couler un bain, j'installais la poupée sur le lavabo comme maintenant et je la contemplais de mon bain, Jenny passait une tête et disait avec rage tu n'es qu'un sale nazi qui torture les femmes et s'extasie sur des poupées, je lui répondais je t'interdis de dire du mal de cette poupée.

J'entends Fran me répondre ni avant ni avec. Je lui propose : après alors. Elle se décide okay je reste. Je lui dis hou là là t'en as mis du temps t'as pas encore compris qu'avec moi tu risques rien. C'est pas ça, elle dit. Pas ça quoi ? C'est pas une affaire de cul. Comment ça c'est pas une affaire de cul t'as pas arrêté de me reprocher de penser qu'à te sauter. Elle ne réagit pas. Je l'entends qui manipule la cassette. Puis elle lance je te demande pas ton avis puisqu'on a les même goûts. On est les meilleurs, je lui dis. Elle met Charlie Mingus, *Something like a bird.* Elle se tait. Mingus envahit tout. La poupée a un regard d'une tristesse infinie.

J'aime bien la grand-mère de Jenny.

Le dîner chez la grand-mère commençait, se terminait, dans le feu d'artifice verbal. Au bord de l'abîme des générations. Un coup, disait la vieille Polonaise. Rien qu'un coup. Vous tirez un coup et vous vous croyez amoureux. Après vous passez à autre chose. Au suivant. Moi écoutez j'ai vécu une éternité avec. Se tournant vers Jenny. Avec ton grand-père. Le pauvre. Dieu ait pitié de son âme. Vous maintenant un simple coup. Et Jenny réagissait. Tais-toi. Tu m'énerves avec tes. Faisait semblant de se fâcher. Elle insistait la vioque et se mélangeait les pinceaux. *Just a shop.* Rectifiait. *Just a shot.* Entre les sons elle slalomait. *Chopped steak. Just a shot.* De la viande hachée. Vous faites l'amour comme on mange un hamburger. Comme on entre dans un sex-poche. Il n'y a plus d'amour. Avec vos idées à la noix. Tais-toi arrête écoute, suppliait Jenny. Et le repas chez la grand-mère se poursuivait ainsi. Entre collisions faussement salaces et flash-back historiques. Rires vrais et vraies larmes rentrées tout en dedans, bien profond.

J'aime bien ta vioque.

Vioque. Je déteste ce mot.

Jenny est comme ça. Les mots, les gens, les lieux, les choses. Elle déteste. Ou elle adore. Pas de demi-mesure. La vioque n'adorait ni ne détestait. Incapable, philosophait-elle, à ma joie, d'enfermer la vie dans une alternative aussi carrée. Sur tout, elle avait des idées aussi précises que nuancées, me conseillant par exemple, puisque j'avais du mal à monter l'affaire de mon film, de l'écrire. Que ça ne serait pas un film donc. *But a novel.* Un roman. Jenny répliquait. Ce que tu dis assise je pourrais tout aussi bien le dire couchée.

Sans doute Jenny oubliait-elle l'extrême légèreté de mes outils. L'encre. La plume. Le papier.

Dans l'arbre généalogique de Jenny, entre la grand-mère et elle, il n'y a personne. Plus personne. Elle ne parle jamais du père poussé sous un train. Ni de la mère qui choisit de s'endormir un jour, après s'être lavée, parfumée, maquillée, pomponnée et fendue d'une lettre tragi-comique – elle essayait encore d'amuser le monde, il y avait même des jeux de mots, manifestement concertés. Jenny n'évoque jamais ces choses-là. Sauf avec moi. Une fois. Une nuit. Elle avait pas mal picolé. Au pieu elle avait été nulle. Malgré mes efforts. Zéro. Et paf. Elle s'est mise à chialer. Elle n'avait le cœur à rien. Elle est en train de rater sa vie. Tatata. Elle m'a tout raconté.

Forcément un écrivain grappille ces confidences.

Comment faire autrement?

La vie a plus d'imagination que moi.

Je sors du bain. Sous la table, il y a les baskets. Leur alignement soigneux contraste avec le désordre des vêtements jetés au pied du lit. Fran a enfilé le peignoir. Assise à la place où j'étais tout à l'heure, en oblique, les jambes croisées à hauteur des mollets, penchée sur son sac dans lequel elle farfouille. Elle dit j'ai perdu la lettre. Sans savoir de quoi elle parle, je lui réponds qu'elle la retrouvera demain. Elle dit que c'était une lettre importante destinée à la personne qu'elle aurait dû rencontrer en début de soirée. Je lui réponds en marchant vers elle. On ne perd pas une lettre importante ça peut être une affaire de vie ou de mort pour des dizaines de personnes. Elle dit je sais.

J'ai conscience de l'écart entre le poids de ce que je viens de dire, qui se mesure en quelques atrocités sans nom où le sang le dispute au sang, histoires abominables de terre, d'argent, de dieux lares, de mort plus souvent donnée que naturelle, gabegie, abondance, gaspillage, dans l'humiliation de tous, et l'impression d'irréalité devant ces deux corps qui s'abandonnent, elle dit je sais, et je suis incapable d'imaginer ce qu'elle sait, et je suis avec cette douceur, cette beauté immense, ce corps qui dévêt l'autre et l'autre qui fait les mêmes gestes sur moi, et je suis bientôt dans cette douceur, plus tard elle me dira que la première fois elle était choquée qu'on ne se soit même pas embrassés, je suis dans cette femme qui crie, on entendait distinctement, parmi les bruits emmêlés de la ville en veille perpétuelle, une sirène qui se rapprochait, montait, enflait, et elle criait, et je lui donnais à entendre à mots muets qu'il n'y a pas d'aller, pas de retour, le sens jamais clair, pas de bon sens, juste des trajets dans un sens ou dans l'autre, des itinéraires purs, des mouvements, des lieux, des paniques, elle criait, maintenant on entendait s'éloigner la sirène, j'ai toujours aimé les sons de Manhattan, elle criait, et j'aurais juré qu'il y avait dans sa voix quelque chose d'au-delà toute idée de bonheur ou de malheur, de possession ou d'indifférence, d'amour ou de haine, quelque chose dans la voix qui s'accordait exactement à la carte sonore de la ville, la sirène qui s'était élevée à démesure, s'était atténuée, puis éloignée, à présent avait disparu, s'était fondue dans l'informe rumeur de l'île, nous étions flanc à flanc tels deux navires et c'était tempête, elle criait, parfois elle ouvrait les yeux, parfois les fermait, et cette voix dans Manhattan était faite pour ce regard, sa voix, ses yeux pers que je voyais, et j'aurais juré que ça n'était ni tendresse, ni tristesse, j'aurais juré qu'elle ne criait pas de plaisir, je ne rêvais pas des sens à ces yeux, à ce regard qui m'apparaissait sans objet, non pas vide mais plein de rien, un regard qui ne verrait rien, qui avait décidé de ne rien voir, qui se contentait d'être là, jeté dans la vie, dans cette ville monstrueuse, ou dans cette chambre monstrueuse, porté par sa voix qui maintenant criait merde j'arrive pas à jouir.

Je lui dis que ça n'a pas d'importance. Que demain ça ira mieux. On dort. Je lui dis qu'on dort et je sais que la nuit me prépare des épouvantes.

La belle endormie

Je me réveille. Tends le bras gauche derrière moi, ma main palpe le corps derrière moi, je mets un certain temps à le reconnaître. Fran dort à poings fermés. Au sens propre. Ses doigts repliés dans la paume des mains, elle est accrochée si furieusement à moi que, pour m'extraire du lit, j'ai le sentiment, qui me fait sourire, de réaliser quelque figure de contorsionniste. Elle dort si profondément qu'elle n'a rien entendu de mes cauchemars. Elle ne bouge pas quand je lui défais les poings en dépliant ses doigts, dans le noir, je suis couché sur le côté droit, la tête dans la direction du couloir, les pieds vers la fenêtre dont j'avais baissé les stores, elle est couchée elle aussi sur le même côté, la tête enfouie dans l'angle l'oreiller et mon dos, le corps en chien de fusil, de sorte qu'elle a les genoux ramenés vers mon fessier, les pieds vers mes genoux. Elle a glissé son avant-bras gauche sous mon aisselle gauche et elle a sa main, que j'ouvre, sur ma gorge. L'espace entre son buste et mon dos est occupé par son bras droit, elle a le coude sur son ventre, l'autre poing dans mon dos, sous son menton, je finis d'en déplier les doigts quand elle bouge. Elle ne change pas de posture, elle tente apparemment de la rétablir alors que je la déplace, elle réduit l'écart entre son buste et mon dos, réenfouis sa tête dans l'angle.

Mes gestes manifestent une légère impatience.

Je maugrée quelque chose dont le son et le sens ne me sont pas transparents, peut-être juste un son sans sens défini, un son de légère impatience. À présent, j'ai la moitié du corps hors du lit, j'ai propulsé mes jambes hors du lit, j'ai les talons sur le tapis, le coude droit sur l'oreiller, une fesse glissant hors du lit, je me retrouve sur le tapis, je me relève tout de suite, m'oriente vers ce que je crois être la direction de la cuisine. Je tâtonne avant de pouvoir allumer dans le couloir, je rase la cloison, jusqu'à ce que ma main trouve l'interrupteur, j'allume. J'éteins tout de suite, la lumière me paraissant assez violente pour porter sur le lit, je continue au jugé. Je bute contre ma valise laissée dans le couloir.

J'allume dans la cuisine, dont je referme la porte derrière moi. Je suis nu. Je n'ai pas froid. Je passe les doigts sur mon front, il est trempé. Je déchire deux carrés de papier absorbant du rouleau appliqué sur le mur, au-dessus du plan de travail, sur lequel je m'appuie d'une main, en m'épongeant le front de l'autre. J'ouvre le frigo, me verse de l'eau dans un verre, que je vide debout devant le frigo sans l'avoir refermé, je remets le verre vide dans le frigo et pense à Jenny que ce geste a toujours étonnée. Je fais parfois des gestes sans raison utilitaire qui l'amusent beaucoup. J'ai froid.

Je retourne dans le couloir, je vois mieux, je retourne dans la chambre, je cherche sur le tapis le pantalon de survêt je le trouve, je l'enfile, je noue le cordon en pensant à ce que je vais bien pouvoir faire, je ressors dans le couloir, je retourne dans la cuisine, je baisse la tête, me rends compte que je porte le pantalon de Fran, je reprends le couloir, rentre dans la chambre, change de pantalon, en pensant que j'aurais pu tout bêtement récupérer mon jean dans la salle de bains ou n'importe quoi dans ma valise du couloir. Encore un de ces gestes gratuits sur lesquels Jenny plaque quelquefois des analyses qui m'énervent.

L'impression d'entrer tout doucement dans une phase où chacun de mes mouvements dans ce lieu renvoie à Jenny. Quelque chose qui aurait commencé depuis la nuit dernière, se serait poursuivi dans la journée, se serait aggravé cette nuit, au début de la nuit, et s'aggrave encore. Je n'ai pas envie de rabattre cette impression sur l'épure préétablie d'une interprétation, mais c'est évident que Jenny, cette nuit, occupait le lit, tandis que je faisais l'amour avec Fran. Cette idée me réjouit d'autant moins que Jenny aurait alors quitté le lit à un certain moment, me livrant à des cauchemars qu'elle sait et contre lesquels Fran ne peut rien, parce qu'elle ne sait pas, parce qu'elle ne peut rien de toute façon.

J'ai des pensées confuses. Des pensées d'après-cauchemar. Des pensées d'après l'amour mal fait, pas joui, pas brillant, pas d'amour. Des pensées de mec en pantalon dans la chambre d'une femme avec une autre femme et de toute façon seul avec ses pensées de nuit qui s'annonce blanche ou noire, nuit. J'ai ces pensées debout devant le corps endormi de Fran, masse sombre dans le sombre, des pensées sombres, dans la ville sombre, avec plein d'êtres aux pensées sombres.

Je m'oriente vers la table. Je tourne le bouton de la lampe à bras articulé en l'abaissant, dans le même mouvement, vers la surface de la table, je m'assieds devant cette lumière concentrée, dont la lueur diffuse dans l'espace crée une sorte de jour douteux, où je vois à présent le corps endormi de Fran dans une masse bleue, j'attrape mes lunettes sur la table, une forme de corps de femme inconnue, sous la couette de mes amours avec Jenny, je pense à Jenny, je pense putain t'es un sacré puritain, je souris, pas longtemps, un de ces sourires imperceptibles, que quelqu'un ne décèlerait pas sur la face de son auteur, sourire de la bouche du dedans.

Je trouve magnifique cette tête de femme inconnue qui dépasse de la couette, j'ai ses cheveux dans les mains, il y a entre nous toujours la distance de la table au lit, je suis assis devant la table avec ses cheveux dans mes mains, le doux hérisson de sa coupe en brosse quand je les caresse à contre-poil derrière la nuque, j'ai le grain de sa peau dans les mains, j'ai dans les mains la cloche gémellaire de ses seins, son mamelon qui se dresse sous mes doigts, son ventre frémissant dans mes mains, je trouve fondante cette croupe de femme inconnue, la nuit sucrée de son sexe, qui n'a pas joui, je n'ai pas joui, je me suis effondré sur une de ces lamentables giclées viriles, effondré de fatigue, de désir de sommeil, de peur de dormir, de certitude de cauchemars.

Ou bien Jenny, je vois Jenny, elle seule aurait pu nous sauver du désastre, j'ai des désirs confus à 4 heures du matin, devant deux femmes que je nie en voulant les additionner en un seul corps salvateur, coupable de n'avoir pas fait jouir, malheureux de n'avoir pas joui, pas dormi, pas envie d'écrire, bref le blues vécu, tous les blues réunis en un fleuve morne, qui coule entre la couche bleue de la belle endormie et la brillance électrique dans laquelle soudain tremblent mes mains vides, Jenny. Nous avons raison de rompre. De ne pas aller vers d'autres jours. Vers un avenir où, d'une manière ou d'une autre, tu porterais le poids de choses pas drôles.

Je te parlerais de mon rêve, la nuit dernière à l'hôtel, mon cauchemar des gamins qui jouaient aux billes sur un terrain vague. Quand j'étais gosse, j'aimais beaucoup ça. Le jeu de billes est quelque chose de parfaitement contrôlable, basé sur le poids des boules, la force avec laquelle on les lance ou les frappe, les points de lancer et d'impact, les vitesses, les trajectoires, les rebondissements. Si la main tremble, on ne peut pas jouer, il faut attendre des nerfs meilleurs, nous sommes nombreux aujourd'hui à avoir les mains qui tremblent, tu ne peux pas vivre avec ces mains-là, elles sont faites pour rester seules, pour parer ou pour donner des coups, elles sont devenues comme ça, tremblantes et violentes, mains impuissantes.

Je te raconterais comment on trichait au jeu de billes. Il y avait des manières de tricher parfois absurdes : par exemple escamoter des billes dans sa bouche, sous la langue, au risque de les avaler, tu les avalais, tu avouais, tu te faisais purger, on ne retrouvait pas toujours toutes les billes.

Je te raconterais quoi encore ? Des choses que tu sais déjà et d'autres choses que tu ne sais pas encore. Dont tu peux parfaitement te passer. Dont tu n'as pas besoin pour vivre. Pas besoin de tout ça. Ma manie de fouiller dans les poubelles de la mémoire. À la fois ce désir de perdre la mémoire et cette incapacité de trouver l'oubli. Je te raconterais des histoires de feu, des histoires de sang.

On ne vit pas avec des histoires comme celles-là. On les traîne. On les traîne en espérant trouver un jour un océan où les larguer, s'en débarrasser, on ne trouve jamais l'océan, il n'y a pas d'océan où se soulager de sa mémoire, où enfouir l'Histoire. On meurt un jour avec tout ça. De tout ça, parfois. On peut tuer aussi avec ça.

Je te regarderais, je te parlerais de ta beauté, je te parlerais de la beauté de Fran, je te parlerais des femmes que j'ai aimées, et je penserais à la grande injustice de la disgrâce. Et que je ne m'habituerai jamais au spectacle de la disgrâce. Et qu'il faudrait tuer la disgrâce. Et je penserais aussi que j'ai vu dans ma vie une ou deux choses qui m'ont définitivement dégoûté de l'idée de tuer quelqu'un, ou de voir tuer quelqu'un, ou de savoir que quelque part dans le monde on tue quelqu'un.

Je te parlerais, d'une manière ou d'une autre, de choses pas drôles. Sans que le rapport entre ces histoires te paraisse toujours clair. Ce sont des histoires de cimetières. Des histoires de fusillés. Des histoires de torturés. Des histoires de cadavres exposés dans les rues. Des histoires de charniers. Des histoires de machettes. Des histoires de décapités. Des histoires de charognards et de charognes, des histoires de mouches sur les charognes, je n'ai pas le droit de t'imposer cette surcharge d'histoires.

Regarder une femme dormir.
Avoir peur de dormir.
J'ai beaucoup écrit la nuit.
J'ai beaucoup fait l'amour la nuit.
J'ai beaucoup vécu la nuit.
Vivre la nuit.
De la nuit comme un pis-aller.
Vivement le jour.
J'éteins la lampe sur la table.
Je relève les stores avec précaution.
Je me rassieds, je me relève, je me rassieds.

La langue des oiseaux

Je suis debout devant la fenêtre. Je suis torse nu, avec le pantalon de survêt de Jenny, je porte mes lunettes, je ne sais pas quoi faire de mon corps, je suis juste là, immobile devant la fenêtre. Je regarde les toits, les saillies d'antennes, de cheminées, les fenêtres obscures sous les enfilades d'échelles obliques, la brique sombre, les dernières flammes de la nuit glacée.

Elle dit ça fait longtemps qu't'es levé?

Je me retourne. C'est la première fois depuis au moins une bonne demi-heure que je me déplace dans la pièce. Elle est assise dans le lit, une épaule appuyée contre la cloison, elle a ramené la couette sur sa poitrine, une migration d'oiseaux blancs dans un ciel turquoise, elle a rallumé tandis que je me retournais, je vois la naissance des seins, je lui dis oh un quart d'heure une demi-heure. J'ai envie d'allumer une pipe, je lui demande si je peux, elle dit oui, je me penche par-dessus la table où il y a une rame de papier inentamée sur le sous-main à pince, la bouteille en plastique contenant de l'encre Parker *(contient du solvant X, nettoie votre stylo pendant que vous écrivez)*, un Montblanc, quelques chemises vides et une sacoche en cuir marron contenant mes pipes, du tabac dans ma blague à tabac, des accessoires de fumeur de pipe, ainsi que quelques carnets de notes Clairefontaine de format 11 × 17 cm et une calculette électronique.

Je pense au cendrier en bakélite volé par Jenny, elle m'avait dit où, j'ai oublié, c'était je ne sais plus quel café, il était tard, nous étions tous, j'entends la voix de Jenny comme si elle était dans la chambre entre Fran et moi, interceptant la voix de Fran, la parasitant, l'annulant presque, j'étais comment dites-vous déjà? j'étais pompette voilà j'adore ce mot pompette – elle pousse un peu la voix comme elle le fait chaque fois qu'elle est un peu crevée, elle pousse la voix, ça file vers les aigus, puis brusquement ça se casse. Le cendrier doit être dans l'un des tiroirs de la table, celui de gauche probablement, je tends la main pour l'ouvrir. J'entends Fran me demander si ça me gêne pas d'ouvrir la fenêtre. Je l'entends éteindre l'abat-jour.

J'ai l'impression qu'elle parle beaucoup, elle dit qu'elle n'avait pas remarqué que j'avais laissé la fenêtre fermée, sinon elle m'aurait demandé de la laisser ouverte, oh juste un peu, qu'elle dort toujours avec la fenêtre ouverte même en hiver, mais que moi bien sûr elle comprend, j'ai l'impression qu'elle dit tout ça tandis que, ayant retrouvé le cendrier, l'ayant posé sur la table, je bourre lentement une pipe de bruyère en forme de point d'interrogation à clapet métallique. Qu'elle a bien dormi tout de même, et quelle heure il est, je pense tout d'un coup que oui elle vient de me demander d'ouvrir la fenêtre et que tout ce qu'elle dit sonne faux, j'ouvre la fenêtre, en faisant coulisser le châssis vers le haut, l'air entre dans la chambre comme s'il attendait ça, vif, cinglant, glacé. Je me retourne et lui dis je suis désolé, en posant la pipe dans le cendrier.

Elle ne réagit pas. Je vais vers elle. À mi-chemin, je me baisse, ramasse le polo à capuche du survêt, fais demi-tour et l'enfile, je finis de nouer le cordon autour de la taille en m'asseyant devant la table. Je cherche des allumettes. Je reprends la pipe. L'allume. Elle a remonté la couette un peu plus, s'y est enveloppée, elle regarde dans la direction du coffre en chêne, elle ne bouge pas la tête lorsqu'elle dit tu l'as baisée cette nana? Qui? Elle répond j'ai vu sa photo hier sur la porte du frigo je la trouve très belle. Elle n'a pas terminé la phrase quand je dis, en balayant l'air de la main, oh comme ça. Je regarde le dessin de fumée que je viens de tracer. Elle dit je vois.

Elle ne parle pas beaucoup, ce qu'elle dit sonne juste, comme si le changement d'air, de température, dans la pièce, la distance entre nous avaient créé les conditions de cette justesse de ton ou d'écoute. Je lui dis est-ce que t'aimes Nina Hagen? Elle s'anime, se tourne vers moi, dit que naturellement elle aime, et quand elle chante *Niou-Yorrrrk-Niooooooouu-Yoooooorrrrrrk*, tordant la langue tel un linge imbibé de toutes sortes de mots sales, et comment d'impossibles significations dégorgent de la bouche, la couette retombe un peu comme elle agite les mains, je vois ses seins, je l'écoute en regardant ses seins, je pense que c'est peut-être notre commun rapport au langage qui nous sauve, que sans ça nous serions un peu plus seuls, un peu plus perdus, elle me dit est-ce qu'il y a cette chanson ici, je lui réponds je crois pas, je pose la pipe dans le cendrier, pousse la chaise en arrière, me lève, vais vers le coffre, l'ouvre, prends une pile de cassettes dont j'examine très vite les étiquettes, je lui dis non Jenny l'a pas, je ne suis pas sûr que la cassette en question ne soit pas dans le coffre, pas envie de chercher, je me retourne en lui disant non Jenny l'a pas, je vois son corps libre dans le bleu, dans les oiseaux blancs, elle a la peau claire dans la lumière de l'avant-jour, je la vois comme si je la découvrais, je la trouve plus belle que cette nuit, plus belle qu'hier, je me remémore notre rencontre, me la rejoue, ce sont des images, elles vont très vite, elles se bousculent, cette image d'elle dans le café le livre dans le café, dans le taxi qui roulait sur la Huitième Avenue, et son cri merde j'arrive pas à jouir, et pas plus tard que tout de suite cette façon de me demander si j'avais fait l'amour avec Jenny, et cette autre image hier elle marchant au sortir de la boîte cet air d'animal perdu, et sa présence nue dans ce lit m'apparaît elle aussi comme une image, l'impression sur la rétine d'une image vue il y a très longtemps, et je m'assieds au bord du lit comme si j'avais peur que l'image s'enfuie, j'allonge les bras comme si j'en vérifiais la réalité, je touche ce corps comme si c'était un corps fuyant, c'est un corps libre sous la couette à mi-corps, elle a des oiseaux jusqu'au ventre, des oiseaux qui migrent vers les seins, vers le visage, je lui prends le visage dans les mains, elle ne dit rien, je ne dis rien, elle a des oiseaux dans la bouche, j'ai des oiseaux dans la bouche, nous parlons la langue d'air des oiseaux, j'aurais juré qu'elle me parle dans la langue claire des oiseaux, elle me dit que cette nuit elle avait envie de moi, et qu'elle a encore envie de moi, et qu'en faisant l'amour elle n'a pas arrêté de penser à Bill, et qu'elle est peut-être, au fond je suis peut-être une puritaine indécrottable, je lui dis que moi aussi peut-être, je lui dis que cette nuit je faisais l'amour avec deux femmes, que Jenny était dans le lit, je faisais l'amour avec deux femmes et des charniers dans la tête, et que c'est avec elle que là tout de suite je vais faire l'amour, avec elle seule, et que Jenny c'est fini, elle me dit que Bill aussi c'est fini, nous nous embrassons comme si la ville allait s'écrouler dans la minute qui suit, dans une seconde, et qu'il faille faire vite, dans une seconde il n'y aura plus d'oiseaux, plus de baisers, ce sont les derniers oiseaux, ce sont les derniers baisers, il n'y en aura plus, nous sommes les derniers survivants d'une apocalypse qui va bientôt souffler la ville, toutes les autres villes sont englouties, nous sommes les derniers, nous arrachons la couette, mon pantalon, elle m'arrache mon pantalon tandis que je lui prends un sein dans ma bouche, c'est le dernier sein que j'ai dans la bouche, le dernier mamelon qui durcit sous la vitesse de ma langue, elle abandonne le pantalon à ma cheville, elle me prend la tête dans les mains, frotte son visage contre mes cheveux, elle dit oui oui oui, elle a des oiseaux entre les cuisses, des oiseaux qui m'inondent la main de leur langue liquide, elle dit oui, et la suite est sans nom, danse souveraine des corps dans l'avant-jour, fusion des corps, coulée de laves du désir, nous sommes une fleur sauvage éclose sur le fumier de l'Amérique, une fleur, une seule fleur tout entière crispée sur l'acte pur de sa survie, sans autre projet que celui de prolonger sa qualité de fleur le plus longtemps possible, au-delà de ce matin d'hiver, au-delà de tous les matins, d'être dans cette interminable migration d'oiseaux, avec nos corps l'un dans l'autre, tous les deux à genoux, mes mains tenant ses fesses vibrantes de chants d'oiseaux, avec ce plaisir gigantesque qui explose, elle crie en agitant la tête oui je jouis je jouis je jouis.

Réveil

C'est le matin, quand il fait soleil, que la chambre reçoit le plus de lumière. D'habitude, pas besoin de réveil, si les stores sont ouverts ou empaquetés vers le plafond. Automatiquement, je me lève. C'est donc un loir niché dans le creux du lit qui se frotte le museau, les yeux, et lance à la silhouette de sa compagne debout à contre-jour : tiens t'es levée Fran quelle heure il est ? Midi passé, répond la silhouette. D'abord il me semble reconnaître vaguement la voix de Jenny, mais il y a quelques secondes de latence entre cette perception confuse et – celle-ci opérant son travail d'imprégnation du cerveau, la silhouette bougeant devant moi – le bond physique que j'accomplis. C'est Jenny.

Qui c'est cette nana dans la salle de bains ? Y'a pas de nana dans la. Je me tourne vers la porte fermée de la salle de bains, d'où sortent nettement les bruits d'une douche réglée à sa pression maximale. Je dis attends j'suis pas réveillé encore. J'ajoute et puis qu'est-ce que tu fous ici à cette heure t'as pas sonné. J'ai sonné personne n'a répondu tu dormais ça a été le bonheur cette nuit d'habitude tu dors pas autant. Le décalage horaire, je fais. Bon, enchaîne Jenny, tu sais bien que j'suis pas jalouse mais je trouve ça très désagréable. Quoi? Que je sois pressée et que je puisse pas entrer dans la salle de bains. Jenny profite manifestement que je sois encore dans le cirage. Je dis attends attends attends.

Et tout devient clair. Elle a troqué son pantalon fuseau contre une jupe en cuir et porte des cuissardes noires. Elle a le même blouson qu'hier, ouvert sur un gros pull. Je lui dis fais-moi la bise au moins merde tu m'agresses dès le matin comme ça. Elle se penche, m'embrasse sur une joue, puis l'autre, je lui prends la tête dans une main, ses cheveux sont apparemment humides, je lui dis il pleut quel temps il fait? Il fait très beau mais très froid t'as intérêt à te couvrir si tu sors. Je dis tes cheveux sont tout mouillés. Ouais je m'suis fait un shampooing chez John et il n'a pas de sèche-cheveux. Elle regarde vers la salle de bains, je comprends la situation, je me demande si je vais lâcher une indiscrétion du genre qui c'est John ou une bêtise quelconque, quelque chose comme elle va pas tarder t'auras pas le temps d'attraper la crève.

Comme je suis maintenant réveillé, je trouve des choses originales. Tu veux que j'te fasse un café, je lui dis, me levant déjà. Non je vais y aller reste couché. Pas question, insisté-je. Et voici notre héros s'éjectant de la couette. Je ramasse, dans le désordre des vêtements et des cassettes sur le tapis, le pantalon de survêt et, en équilibre sur un pied, j'adresse à Jenny un sourire qui signifie grosso modo je t'ai emprunté des fringues, avec le geste de quelqu'un qui a vaguement honte de montrer sa nudité à une femme qui a pourtant vécu avec lui des situations autrement scabreuses. Elle réplique par une absence de sourire que j'interprète librement comme tu peux m'piquer mes fringues mais j'espère que tu les lui files pas à cette pétasse. Je vais à la cuisine, je décide que ça sera, dans la demi-heure qui va suivre, mon ambassade, ma terre d'asile, ma zone pacifiée, le siège provisoire de mon gouvernement.

Je tombe inévitablement sur un premier ennemi, sous la forme de ma valoche, embusquée dans le couloir et contre laquelle je bute. Je trébuche mais ne m'étale pas. Je pousse tout ça vers le mur et je fais une entrée triomphale dans la cuisine, acclamé par le moulin à café électrique et le peuple des casseroles, tasses, filtres et autres gazinières. À peine le temps de savourer ma victoire et de respecter mon programme, Jenny débarque. Elle découvre, sur la porte du frigo, coincée sous l'attache magnétique de sa photo, l'audacieuse missive qu'elle m'a laissée hier (*Je ne t'oublierai jamais*) et ma non moins audacieuse réponse (*Moi non plus*). Comme je me promets qu'on ne m'y reprendra plus, elle commet une déclaration comme quoi je suis un menteur : tu dis que tu m'oublieras jamais et tu ramènes quelqu'un dans mon pieu.

Je réagis immédiatement par un communiqué en quatre points. Primo, j'aime pas beaucoup cette façon de m'inviter chez toi et de dire *mon* pieu. Secundo, entre nous c'est fini c'est toi qui l'as dit et c'est évident que t'es à la colle avec un autre mec je sais pas si c'est de la bonne colle en tout cas pour le moment ça a l'air de coller. Tertio, c'est toi qu'insistes toujours pour que je vienne chez toi tu sais très bien que je préfère l'hôtel là au moins je ramène qui je veux et y'a personne pour être jalouse. Dans la confusion qui suit, j'oublie le quatrième point et je m'en veux encore car ça devait être un argument décisif.

Toujours est-il que les bruits de la douche s'arrêtent. Jenny réplique de toute façon ton hôtel a été démoli et tu sais bien que tu peux pas travailler ailleurs qu'ici à part là. Je lui réponds tu sais parfaitement que j'ai une capacité d'adaptation illimitée. J'ajoute et puis parle pas si fort. Elle dit d'ailleurs j'suis sûre que t'as rien foutu. Je lui réponds j'aime pas cette façon de me fliquer, que son boulot avec des cas sociaux l'a complètement déformée, et vive l'inadaptation sociale, je souhaiterais voir New York envahi par tous les inadaptés du monde, et pourquoi elle lâche pas tous ses gosses comme des fauves dans la ville, au lieu de faire un boulot de gardienne de taule, et que moi si je choisis ce métier d'écrivain c'est justement pour être libre, enfin pour essayer d'être libre, ouais hier j'ai rien foutu et puis quoi. Elle me dit c'est ton éditeur qui va être content. Je lui dis les éditeurs c'est pas un bataillon de C.R.S. en position devant les cafés qui refouleraient à coups de matraque les auteurs dissipés vers leurs écritoires. Elle me répond vivement qu'on institue le système des agents littéraires en France et que vous en baviez les écrivains français.

Je vois rouge. Ne me traite pas d'écrivain français s'il te plaît. Elle voit rouge. Faut savoir ce que tu veux dans la vie un jour tu dis ne me traite pas d'écrivain haïtien un autre jour tu dis ne me traite pas d'écrivain français tu voyages avec deux passeports t'es quoi finalement? Je m'appelle Ferdinand. (Sur le ton de Jean-Paul Belmondo dans *Pierrot le Fou*.) De nouveau le bruit de la douche dans la salle de bains. Elle s'en va vers la petite pièce à côté, qui est à la vérité un grand placard.

Cette petite pièce est un véritable site historique, avec des chaussures, un aspirateur, des vêtements, des parapluies, des bouquins, des abat-jour, des objets achetés dans le quartier par Jenny à l'occasion de ces ventes qu'on appelle ventes de l'éléphant blanc (*white elephant sale*).

Véritable caverne d'Ali Baba où il nous est arrivé plus d'une fois de coucher. En général voici comment cela se passait. Il y a d'abord l'histoire du petit lit. Jenny prétend qu'un lit à une place, c'est à la fois la liberté et le bonheur: on n'y dort ensemble que si on en a vraiment envie. Ensuite, il y a l'histoire du sac de couchage. Jenny ne voyage pas avec ce duvet, ni moi. Simplement, lorsque nous nous engueulions quelqu'un devait prendre le lit et l'autre aller dans le cagibi. Là encore, nous trouvions le moyen de nous disputer de nouveau, parce que, jouant à qui serait le plus maso, chacun voulait coucher dans le placard. C'était à qui aurait la couche la plus ascétique. Selon les jours, elle ou moi gagnait. Dans la nuit, celui ou celle qui avait hérité du confort rejoignait l'autre à la dure, et la caverne s'emplissait de nos cris d'amour.

Un soir où j'étais particulièrement furax, je lui ai balancé je sais comment ça va finir tout ça, tu m'as jeté un sort (sur l'air de *I put a spell on you*) et je suis là comme un chien à te suivre. Je suis retourné à l'hôtel. Le lendemain elle m'appelle au téléphone. Elle a envie de faire l'amour. Tu vois. T'as vu le temps qu'il fait. Mon lit est inondé de soleil.

Voilà donc Jenny menant un grand tapage dans la petite pièce, en train de chercher ou de ranger je ne sais quelles affaires, il y a des godasses qui tombent, l'aspirateur qui se casse la gueule et, à ce moment, de la salle de bains, la voix de Fran qui résonne mêlée aux bruits de la douche. Ferdinand t'es levé? Je fais le mort. Je vais parler à Jenny. Fais pas tant de bruit c'est une fille très sensible elle a des emmerdes avec des gens. Elle continue de plus belle. S'arrêtant un moment pour émettre un avis injuste. Elle a une vraie voix de casserole ta nénette. Parle pas si fort. Cris et chuchotements.

Et puis merde qu'est-ce qu'elle fout ta copine? Elle est si moche que ça? Il lui faut des travaux de ravalement? Jenny sois pas vulgaire s'il te plaît. Elle s'arrête. Elle consent à baisser la voix. Elle se défend d'être jalouse. Prétend que c'est seulement qu'il y a des risques microbiens et qu'elle a horreur de ça. Je lui réponds c'est pas un groupe à risques, c'est une Américaine, une Blanche, propre et qui se drogue pas. J'ajoute en plus elle est très mignonne, et que si elle veut on peut se faire un plan sexe à trois, à quatre, en espérant que ton mec n'est pas dans le groupe à risques parce que tous ces propagateurs de sida ensemble ça fait un peu beaucoup.

Elle sait que c'est ni du lard ni du cochon. Que c'est le genre de situation inextricable. Tout ce qu'on risque, c'est une escalade qui peut durer un siècle, une éternité. Elle a du souffle. J'ai du souffle. Entre nous il y a de tout, sauf de la haine. À aucun moment, dans toute notre histoire, jamais n'a percé le bout de l'oreille, ne serait-ce que le bout de l'oreille de ce monstre de la haine. C'est la vie elle-même qui est un monstre. Nous avons trop de choses en commun, Jenny et moi. Nous aurions pu constituer un couple parfait. Faire des enfants. Poursuivre ensemble l'aventure de l'humanité. Et pourtant. Nous sommes là, à nous aimer dans le déchirement, à nous déchirer dans l'amour, à comprendre que là tout de suite, c'est vraiment la fin, nous tournons en rond, nous n'irons pas plus loin, nous mourrons de nos exigences, nous sommes des malades de la liberté et ça ne se soigne pas. Nous savons tout ça tous les deux, lorsque Fran sort de la salle de bains, ravissante, un walkman sur les oreilles, qu'elle enlève, elle sourit, elle dit *hi my name is Fran.* Jenny sourit, elle dit *hi Fran my name is Jenny nice to meet you Fran*, et moi le ton du mec spirituel *my name is Ferdinand*, café pour tout le monde !

Il est 13 heures quand nous sortons. En refermant la porte, nous entendons le bruit sec de la chute d'un objet à l'intérieur de l'appartement, accompagné d'un oh merde de Jenny, l'inflexion longue et agacée de la voix, *ooh shiiit*, la butée finale, tandis que Fran dit elle est jalouse ta copine. Dans l'ascenseur, une vieille dame au menton barré d'un pansement parle à son caniche. Fait beau aujourd'hui hein Lucky fait beau. Le chiot lui répond par un couinement.

En effet, il fait beau.

Hein Lucky, plaisante Fran, nous passons devant le gardien. *Have a nice day.* Merci vous aussi. Sur l'un des écrans de contrôle devant lui, on voit la dame au caniche en plongée. J'enfonce la main dans une poche de mon anorak, d'où je tire mes lunettes noires. Que je chausse. T'es pourtant né sous les tropiques. Justement. Elle ne comprend pas que les Tropicaux passent leur temps à fuir à la fois la neige et le soleil. Je te f'rai un dessin quand tu s'ras grande, je lui dis. Et encore si t'es sage.

Nous sommes sur Christopher Street, longeant la grille du square dans la direction de l'est, nous saluons au passage le général Philip Henry Sheridan (1831-1888). Il appartient, proclame son socle, aux soldats de premier rang non seulement au niveau national mais encore au niveau mondial. *Good morning* général vert-de-gris, trône des pigeons diarrhéiques, appeau mal embouché, les amants filent vers un vrai parc.

L'ŒIL TEL UN ÉTRANGE BALLON

Froid, sec, ensoleillé. Un temps à faire des détours inutiles. Nous faisons des détours inutiles. Depuis que j'ai rencontré Fran, nous ne faisons que des choses inutiles. Elle a peur de rentrer. Peur des réactions de Bill. C'est la première fois que je découche, elle dit. Ah bon ? Central Park, c'est elle qui a dit Central Park je connais un chouette restau par là. Envie de lui faire plaisir. Elle a l'air tellement heureuse. Envie de la larguer. Jenny avait l'air tellement malheureuse. Atroce, ce moment du passage entre deux femmes. L'une qui ne vous aime pas, l'une qui ne vous aime plus.

Affreuse, cette situation où personne n'a raison, personne n'a tort. Si au moins on pouvait mettre la main sur un coupable, faire payer, mais voilà il n'y a pas de coupable. Nous marchons, je pense, je ne sais pas à quoi elle pense, l'ennui quand je suis reposé c'est que je pense trop, nous marchons l'un à côté de l'autre, nous pensons l'un à côté de l'autre, nous rêvons ensemble des rêves différents, tout ça fait des plages de silence, tout ça fait des paroles en l'air comme tu veux bien qu'on aille à Central Park? Elle a dit cela tout de suite après Sheridan, sur Christopher Street. J'ai dit bof pourquoi pas? Elle aurait pu me dire tu veux qu'on aille à Varsovie? J'aurais répondu oui. Varsovie, pourquoi pas?

Varsovie, le. Chère Jenny, je t'écris de Varsovie. Pourquoi pas? Elle dit un chouette restau. Je réponds dégueulasse et cher. Elle dit c'est un lieu très calme très agréable. Je réponds si tu veux. Comme tu voudras. Je ne sais plus le mot exact. Vaguement envie de lui faire plaisir. Tout à l'heure, entre la porte de l'appartement et l'ascenseur, elle a dit normal qu'elle soit jalouse. J'ai répondu moi j'comprends pas franchement. Et c'est vrai. Une minute avant, Jenny aurait dit bon je t'aime. Je serais resté là. Elle n'a rien dit. Moi non plus. Au lieu de quoi, nous avons joué cette comédie épouvantable. Merde je pense trop.

Nous sommes à la station de West Fourth Street. Elle ouvre son sac, en sort deux jetons, m'en donne un, que je glisse après elle, dans la fente de la machine tandis qu'elle pousse le tourniquet en bois massif, elle dit peux-tu comprendre ça le plus haut développement technologique pour le métro le plus archaïque, je réponds c'est ça l'capitalisme, en pensant que je m'en fous complètement, si Jenny m'aimait ça me suffirait largement, elle ne m'aime plus. Tiens John, si je le tenais celui-là, c'est à lui qu'il faudrait faire payer, il faut absolument que quelqu'un paie aujourd'hui.

Nous descendons l'escalier. Elle dit j'ai vu dans un film récemment des plans tournés dans le métro parisien ça m'a donné envie de retourner en France c'est vraiment très beau c'est quand même autre chose que notre truc déglingué même à l'époque des vieilles rames c'était plus drôle. Il y a une fille noire souriante qui tient dans ses bras un chihuahua qui pourrait facilement vivre dans une de mes poches. Elle descend l'escalier en même temps que nous, accompagnée d'un mec châtain qui porte un chat dans un caisson à double aération latérale en plastique. La fille est à ma hauteur. Je longe la main vers sa bestiole en disant moi j'préfère New York tu peux caresser le chien de quelqu'un que tu connais pas. Fran dit moi je peux pas toucher la quéquette du mec c'est interdit à New York alors qu'en France je pourrais. La fille au chihuahua accentue son sourire. Le mec au chat change son caisson de main et la pousse devant lui d'un geste à la fois tendre et agressif.

Nous nous asseyons sur un banc. Fran pose le sac sur nos genoux, enfouit son visage dans l'anorak matelassé au niveau du bras, introduit une main dans la manche, me serre le poignet. Elle dit j'ai faim. Je ne dis rien. Je pense nous sommes hélas un tube digestif. Je pense cela, mais je n'ai pas faim. Je dis est-ce que t'as vu *À bout de souffle?* Elle dit *À bout de souffle*. Un temps. Ouais j'adore. Je pense cela aurait pu être une phrase de Jenny. Et je pense aussi qu'il va falloir que je fasse un effort surhumain pour oublier Jenny. Je baisse la tête pour regarder Fran. Elle a fermé les yeux. Elle se mord la lèvre et vite la détend. Elle dit tu vas pas travailler aujourd'hui? Je réponds bof. Je pense t'as tout l'après-midi pour me faire oublier Jenny. Elle dit je m'sens coupable. Je ne réponds rien.

Nous nous levons dans le tintamarre de la ferraille, entrons dans le wagon du train surchauffé, le jingle à deux notes, les portes qui se referment, nous nous asseyons devant un type large, grand, immense, une énorme masse de viande dans un sac en tergal clair, qui ressemble à un pantalon, retenu par une ceinture en cuir dont la boucle cherche, dans le tas, un milieu, il n'y a pas de milieu, aucune possibilité de symétrie, d'harmonie, une masse, un stylo dépasse de l'unique poche de sa chemise vert olive style surplus de l'armée, seul signe extérieur d'humanité pensé-je, sinon les yeux, il y a deux places libres, le géant n'ose s'asseoir, c'est l'une de ces rames à banquettes orange et beigeasse, suite de concavités et convexités délimitant des places individuelles, le géant pourrait s'asseoir s'il occupait d'office deux sièges, sans doute je pense n'ose-t-il pas, il se dandine sur un socle dantesque, une paire de pieds comme je n'en ai jamais vus dans ma vie, Fran a remis sa tête dans l'anorak, sa main dans la manche, et me pince le poignet en serrant les lèvres, j'ai baissé la tête pour la regarder, elle est terrifiée.

14 heures. L'ambiance du repas est grave. C'est effectivement un restaurant cher, main bon.

Un grand espace, très aéré, blanc, peu de gens, un Sikh enturbanné en face d'une jeune femme rousse très belle qui de temps en temps nous regarde en parlant, trois Noirs en costume trois-pièces et attaché-case, une tablée de cinq Blancs qui ne mangent pas mais dévorent, et nous. Je lui dis tu fréquentes de drôles de lieux. Elle répond c'est ici que j'ai signé mon premier contrat c'est mon lieu faste j'y viens quand je suis au creux de la vague. Je dis t'es pas au creux de la vague t'es avec moi. Elle fait *oh sorry* je suis désolée je suis vraiment désolée. Je dis c'est rien je suis pas sérieux c'est rien je suis pas aussi susceptible je plaisante. J'ai conscience que je suis grave.

Elle a commandé de la viande rouge. Moi de la viande très cuite. J'avais jeté un œil distrait sur les mots de la carte, *appetizers*, *pizzas*, *pastas*, *entrees*, *desserts*, elle a dit moi je vais prendre de la viande, j'ai dit moi aussi mais très cuite, elle a dit comment tu sais que j'aime la viande rouge, j'ai dit il paraît que c'est un signe de grande sensualité, elle a fait pffffff, j'ai dit eh bien moi j'suis pas un sensuel, je regardais le serveur planté devant nous, raide comme un parcomètre, je regardais les poils qui prospéraient dans son oreille, j'ai entendu t'as choisi, j'ai dit *yes*, Fran a dit quelque chose, le vieux serveur a levé les bras en un mouvement de robot, s'est mis à marquer, j'ai dit la même chose mais très cuite, je pensais que je n'avais pas d'appétit, que ça ne passerait pas, qu'il fallait que je fasse un effort, j'ai entendu Fran dire vin blanc sur le mode interrogatif, j'ai dit vas-y c'est toi la cheftaine, elle a fait pffffff, le serveur a marqué quelque chose, j'ai entendu j'espère que t'as rien contre les vins californiens, j'ai répondu sans vraiment faire attention à ce que je disais y'en a d'excellents tu sais, elle a dit je sais, ça aurait pu être n'importe quoi, du Pepsi ou de la limonade, j'ai pensé fais un effort merde, et que c'était mal parti.

Et maintenant voilà, elle mange, elle boit du vin blanc, elle parle. Il me semble qu'elle parle trop. Qu'elle parle fort. J'entends Bill. J'entends papa. J'entends maman. J'entends Brooklyn. La maison de mes parents. Notre maison. J'entends peintre il est vrai néanmoins noir. J'entends mes amis d'enfance se sont détournés de moi sous toutes sortes de fallacieux prétextes personne n'ose me jeter à la figure la vérité qui leur brûle les lèvres ça ne se fait pas ou alors. J'entends comme on fait son lit on se couche. J'entends dans toute cette affaire tu sais quoi? J'entends bon c'est vrai que je suis pas tout à fait blanche dans l'histoire. Je souris.

Plus fort que moi, plus fort que tout, je suis grave, je suis dans un territoire imaginaire où je fuis la fourmilière anonyme de cette ville sans charité, sans pitié, sans oreille, sans regard, je suis dans une zone d'absolue mutité, d'absolu malaise qu'elle tente de lever comme elle peut, loquace, ou sans doute ne se rend-elle compte de rien, elle mange de la viande rouge, elle boit du vin blanc et elle parle, trop, trop fort, je pense naturellement tu es trop seule aussi, on a fait l'amour, très bien, ça ne pouvait être mieux, on est toujours aussi seuls tous les deux, c'est pas juste. Je me souviens de tous ces lieux où je fus si seul, de ces nuits passées à faire l'amour avec des inconnues, à m'engager dans des histoires à la fois simples et compliquées, à cultiver l'illusion d'être moins seul, à tenter de réduire la solitude des autres, avec toi ça, ça fait des plages de silence insupportables, et ça coupe l'appétit, je me dis merde fais un effort. Jenny est entre nous.

Fran marque une pause de temps en temps, joue avec son verre, soupire, recommence à manger, recommence à parler. Maintenant que je fais un peu plus attention à ce qu'elle dit, je tombe dans une autre immoralité. Celle-là même que Jenny m'a toujours reprochée: d'être incapable d'écouter une histoire de vie, sans penser à l'écriture. Je pense, ne lui dis pas. Je suis odieux. Elle parle. Nulle malice dans mon écoute. Et sans doute que j'attends d'elle ceci. Qu'elle m'innocente d'avance pour le récit que plus tard je commettrai autour de son propre récit. Je n'ai pas vraiment conscience de cette fatalité. Je me crois obligé de payer un tribut. Je lui raconte. Comme si tout à coup je m'étais remis à travailler, l'air de rien, à cette table de restaurant, vers Central Park. Je lui raconte l'histoire de l'immeuble de la 42e Rue. Le profil vague de la tour Eiffel, elle dit c'est très subjectif, qu'elle ne l'avait pas vu comme ça. Je lui dis qu'à l'époque ça me semblait évident. Et qu'il y a un autre immeuble tout près d'ici où c'est encore plus évident. Et que si elle veut tout à l'heure. Elle me parle de ses études de français à l'université. Ses quelques voyages en France. Mais hélas comme mes parents je me sens américaine. Et toi tu te sens quoi? J'ai su, et je réfléchis en parlant, il n'y a pas d'abord la pensée puis les mots, tout ça vient ensemble, je ne sais plus les mots exacts, c'est à peu près ceci que je perdais un peu de mes racines, comme ils disent, ou que j'en gagnais d'autres, si cela existe, comme de surcroît, le jour où dans un avion en provenance de je ne sais plus quel pays, atterrissant à Orly, au petit matin, dans la lumière qui progressivement était venue vers nous, j'ai pensé que je rentrais chez moi.

Or sur ces mots, je précipite la fin du repas.

Nous sommes dans le parc, elle essaie d'attraper un écureuil qui fuit, son envol est luxuriant, son sourire s'accroche aux arbres, elle est une fixité de plumes à contre-jour, il y a dans son corps de grandes échappées de machines à écrire et d'oiseaux, misères et splendeur de Fran, seconde d'égarement, je l'emmènerai loin d'ici, j'ai une mappemonde dans la tête, je ne trouve pas de pays, je l'imagine au soleil, tôt le matin, au bord d'un lac, juchée sur une odeur de bois, elle regarde passer des bateaux, en croquant des gâteaux, tu passes des heures au bord du lac, ou alors c'est une toute petite gare, un train qui s'arrête dans la toute petite gare inconnue d'un tout petit village inconnu, où il n'y a personne, au milieu d'une forêt où il n'y a personne, le train s'arrête, seuls deux passagers en descendent, toi et moi, il fait beau, doux et sec, et nous allons rester là, nous ne bougerons plus, nous vivrons de cueillette et de pêche, et nous écrirons des romans d'amour et d'aventures, que nous lirons quand nous aurons envie de lire, dans ces livres nous nous rappellerons qui nous fûmes, sans vraiment comprendre, et il y aura dans le village, et il y aura dans la forêt, des écureuils qui ne fuiront plus.

Dans Central Park, elle bavasse joyeusement. Me raconte cette histoire, il fait très froid, elle n'a pas froid, du concert de Diana Ross, quand les gangs de kids du Bronx s'abattirent telles des nuées de sauterelles sur le parc, pillant, frappant, arrachant les bijoux, dévalisant les sacs à main, injuriant, distribuant des crocs-en-jambe, je me gèle.

La capote à soufflet noire d'une calèche de Central Park peut cacher un couple de jeunes mariés comme l'arbre cache la forêt. Elle soutient qu'on peut y aller, la calèche est vide. Du haut de mes six pieds et six pouces, je lui dis que non, il y a deux personnes qui s'embrassent sur le siège arrière – j'avais aperçu très vite un éclair d'organdi blanc. Comme nous nous approchons de l'attelage, le couple se redresse. La mariée rougit comme une tomate. J'échappe à une balade en calèche.

Passe le fumet moutardier d'une voiturette de marchand de hot dogs, les relents similifermiers d'un stand de fleurs et fruits, l'aigle planant d'une boîte aux lettres, l'odeur pharmaceutique d'une boutique de vitamines, les incitations à la débauche d'un magasin d'alcools, le scandale des nègres en chemise dans une vitrine de pâtissier et les mannequins endimanchés snobs d'une boutique de vêtements, Fran se rappelle soudain qu'on peut voir une toile de Bill dans une galerie d'art pas loin. Il se trouve que ladite galerie est dans un immeuble abritant une bonne quinzaine de commerces de ce genre et qui fait face au gratte-ciel que j'évoquais tout à l'heure, sur la 57e Rue ouest, entre l'avenue des Amériques et la Cinquième Avenue, un gigantesque miroir noir lancé à l'assaut du ciel et qui, lorsque d'en bas on lève la tête, vous place devant la certitude physique de la rotondité de la terre, nous marchons en un point de la sphère, ce point se déplace, à un certain moment nous avons le ciel devant nous, le point se déplace, nous avons toujours le ciel devant nous, il suffit de ne jamais baisser la tête, et je dis à Fran que je n'admettais dans mon univers mental que les artistes qui ne baissent jamais la tête, et que j'espère que Bill est de ceux-là, je lui dis ça tandis que nous franchissons l'entrée, sous un auvent blanc, devant la plaque de cuivre brillante où s'inscrivent les noms des galeries, elle met le doigt sur un point de la plaque, elle dit Bill c'est ici.

Nous sommes devant Bill, et Bill est un ouragan, ce sont les forges de la mémoire, ce sont les chalumeaux de l'œil du dedans, c'est la boulange de la vie, c'est on est toujours seul et qu'on ne vienne pas me raconter des salades, c'est des images récurrentes qu'il ne lui appartient pas de chasser ou d'appeler, d'appeler au secours, au secours de qui? Bill est une crise vivante, l'identité de Bill c'est la crise vivante, Bill c'est je peux à peine dire, Bill est odieux, Bill n'a jamais rien digéré, Bill délire à grandes giclées de couleurs primaires sur la toile, Bill broie du noir, pulvérise, Bill est un crime ambulant, Bill est un blues fait homme et qui marcherait sur deux pieds, c'est impossible qu'un mec comme Bill soit vivable pour une femme comme Fran, ou d'ailleurs pour n'importe qui.

La même galerie vend un peintre très clean, très reposant, une de ces peintures où ni l'histoire ni le corps ne sont jamais passés, et sur laquelle Fran ouvre de grands yeux émerveillés, elle dit qu'elle aime, et celle de Bill aussi, et qu'elle connaît ce type, un garçon très gentil.

L'envie de revoir. Et la réaction de Fran. Devant ce fusain d'Odilon Redon, qui date de 1882, où l'on voit un œil immense s'éloigner d'une terre nocturne, et qui porte ce beau titre: *L'œil tel un étrange ballon s'élève vers l'infini.* Je lui propose, elle est d'accord, nous sortons de l'ascenseur, puis de l'immeuble des galeries, nous tournons à gauche, je me retourne, le fascinant miroir, je passerais volontiers des heures à contempler le ciel sur ce volume de verre étincelant qui file vers l'infini. Nous tournons de nouveau à gauche, sur l'avenue des Amériques, et voici la 53e Rue, celle du musée d'Art moderne.

Il y a le bâtiment de brique à escalier plongeant du petit musée d'Art populaire américain où je n'ai jamais vu personne ni entrer ni sortir, je me suis longtemps demandé s'il ne s'agissait pas d'un gag, jusqu'à ce que je décide d'y entrer un jour, afin de vérifier la chose moi-même, ce n'est pas un gag.

Il y a l'immeuble de CBS où j'ai rencontré hier mon pote de Hoboken, celui qui m'a promis des démarches auprès de l'homme qui a vu l'homme qui a vu l'homme, et qu'il ne faut surtout pas que j'oublie d'appeler tout à l'heure, pour lui dire que finalement, d'avoir remonté la chaîne, l'homme qui a vu l'homme qui a vu l'homme qui a vu l'homme, c'est moi, je suis tombé sur moi, donc le problème est résolu, je m'occupe de l'affaire.

Il y a le chantier du nouveau gratte-ciel, miroitez vite, avec sa roulotte crème, ses bennes rouges avec les rebuts de chantier, ses palissades et le vacarme assourdissant des pelles mécaniques, des bétonnières, et le casse-tête sociologique des ouvriers tailleurs de miroirs, maintenant l'heure est venue miroitiers d'interpréter le monde, arrêtez le vacarme et hurlez.

Mesquine vengeance

Tout va très vite. Nous sommes dans la porte-tambour du musée. Puis devant ce bronze de Joan Miró, *Moonbird*, qui trône dans le hall. La foule des gens dans tous les sens, la marmaille jacassante en excursion culturelle, les fauteuils de handicapés repliés dans le jardin derrière le double escalier mécanique, les hôtesses dans le bureau d'information en bois jaune clair qui piétinent entre leurs écrans d'ordinateur et leurs brochures, les gardiens à têtes de gardiens, ce musée serait parfait s'il m'était permis d'y venir seul la nuit, ou à deux, avec Fran, sans subir le spectacle du taux de fréquentation qui n'est jamais un chiffre abstrait mais des pets, des rots, des chuchotis, des glissements de chaussures, des bousculades, des sourires niais et des claques qui se perdent.

Il y a des jours où j'ai pas envie de ça.

Il faudrait ne pas avoir à passer à ce guichet, demander deux billets, sortir du fric et payer, attendre la monnaie, présenter les billets à un contrôleur qui n'a même pas de poinçon, se tenir en équilibre sur une marche métallique dans le dos de visiteurs qui commentent des œuvres non encore vues, à côté d'autres visiteurs qui interprètent des œuvres à peine vues, les oreilles remplies d'anecdotes, de paroles en forme de coups de couteau, de richesses écrasées sous le rouleau compresseur de la consommation culturelle de masse.

Nous accédons à l'étage du Redon, qui est aussi celui de Cézanne et de Van Gogh, et de Toulouse-Lautrec, et de Gauguin, et de Seurat, nous tournons très vite, nous arrêtant devant l'étrange ballon, un temps, puis nous descendons au sous-sol, où il y a un gardien (chaussures noires, pantalon gris, chemise blanche sous la veste marine et cravate ringarde parée d'une épingle ringarde sous le nœud ringard), dont je trouve d'emblée la tête fort antipathique. C'est un Blanc avec un début de calvitie des deux côtés du front et un collier de barbe rousse, le genre de bonhomme qui te lance un regard expressif, un de ces regards que je connais bien pour l'avoir surpris tant de fois dans ce pays. Le type qui n'aime pas voir un couple mixte, encore moins s'ils ont l'air heureux, c'est un regard plein de haine. Un regard chargé de cette désagréable électricité dont on s'attend à ce qu'elle électrocute sur place.

Dans ce lieu, le personnage détonne.

Il faudrait recruter les gardiens de musée avec plus de scrupules.

Il faudrait demander conseil à des personnes qui s'y connaissent.

Le racisme d'un regard est le plus perfide qui soit, il ne parle pas, il ne frappe pas, il n'émet pas d'insultes audibles, il est là, son destinataire ne saurait s'y tromper. C'est une sensation qu'aucune personne non victime de discrimination ne peut connaître, parce que ça ne fait pas partie de son expérience du monde. Ça n'est prévu dans aucune analyse, ça n'est pas disséqué, il n'y a pas de loi et il est souhaitable qu'il n'y en ait pas contre ça. Il ne s'agit pas de paranoïa. D'habitude ou bien je ne fais pas attention, ou bien je m'en contrefiche.

J'imagine que des femmes ont pu ressentir cette chose innommable dans certaines circonstances. Ou des Arabes en France. Ou des Juifs. Ou n'importe qui susceptible d'être violé, lynché, tabassé, gazé. On ne peut jamais dire monsieur, madame, votre regard porte atteinte à. Il n'y a pas de code sûr en la matière. C'est une affaire de peau, si j'ose dire. Une affaire de tripes. Le regard d'un raciste saisi par les tripes.

Je suis en train d'embrasser Fran, elle ronronne, je ronronne, nous nous sommes arrêtés, nous nous embrassons, et voici que relevant la tête, nous remettant à marcher, je tombe sur cette tête antipathique, le type est planté près d'un palmier nain, il y a des tableaux derrière lui, et je trouve qu'il dépare le paysage, et je sais d'avance qu'il va se passer quelque chose, je me prépare à avoir une réaction raisonnable. Mon réflexe dans le hall, parmi la foule, c'était rien. Je n'aime pas les foules d'une manière générale. Mais là devant le regard du type. C'est autre chose.

Ce regard me réveille.

Nous arrivons devant lui. Il dit c'est pas un lieu pour s'embrasser vous savez. Une phrase banale. Mais à l'entendre. Cette voix rocailleuse. Ce ton. L'œil qui l'accompagne.

J'aurais pu ne pas répondre.

J'aurais pu m'en aller avec Fran.

Elle est vraiment surprise.

Je réponds vous trouvez que c'est vraiment grave un baiser de trois secondes dans un musée ? Il y a plus de dérision qu'autre chose dans ma réponse. Ça suffit pour provoquer l'escalade, ça va très vite. Il élève la voix, il hausse le ton, il aggrave son cas, je ne vais pas tarder à aggraver le mien, Fran dit mais c'est pas vrai, le type persiste et signe, il y a des visiteurs qui se retournent, et je suis en train de réfléchir à une riposte, quelque chose qui fasse très mal, et je trouve, ça va très vite.

Dans les musées de Manhattan, il se passe vraiment de drôles de choses. Regardez notre héros, dans l'auguste enceinte du musée d'Art moderne de la ville de New York, au milieu d'œuvres d'art respectables et respectées, il vient de sortir son pénis de son pantalon et il est en train de perpétrer cet acte ô combien répréhensible : il tente de pisser sur la jambe du gardien de musée.

La suite est fuite dans les gueulantes, les protestations hurlantes de l'arrosé, les éclats de rire de l'arroseur, la joie de Fran devant la scène, les clameurs des spectateurs, le son des jets d'urine sur le plancher, puis nos pas sur les dalles de pierre, devant les escaliers il y a un autre gardien, un Noir rond aux cheveux gominés aplatis sur le crâne, il tente de s'interposer, nous bifurquons à gauche vers une double porte qui porte l'inscription

EXIT STAFF ONLY

nous l'ouvrons en appuyant sur une barre métallique horizontale, nous tombons sur un autre escalier qui mène à une sorte de dépôt, un magasin d'accessoires ou que sais-je, la trappe, le piège, nous ressortons en vitesse, la confusion générale rend inefficace la meute des gardiens accourus au secours de leur collègue, nous débouchons sur la grande trouée de lumière où se détachent avec une netteté admirable les sculptures du jardin, et plus haut, dans le fond, les formes des immeubles sur le ciel qui tournent, nous renversons au passage la poubelle-cendrier du contrôleur qui tout à l'heure avait pris nos billets, nous traversons le hall au pas de charge, puis de nouveau la porte-tambour, puis la rue, nous tournons à droite vers l'avenue des

Amériques, les poiriers qui ornent l'entrée de la résidence de luxe à côté du musée ne m'ont jamais paru aussi beaux. Nous réussissons à sauter dans un taxi, nous regardons derrière nous, suivis par personne.

King Gillette tombe du ciel

Nous sortons du taxi devant un kiosque à journaux d'où nous reluquent un militaire, un civil et un ayatollah, ils totalisent à eux trois pas mal d'hémoglobine, sans compter les petits à-côtés. En face de Bryant Park, le défilé des enseignes. Bryant Imports. The Oxford Shop. Banco Safra. Harwood Jewelers. Federal Express. East New York Saving Bank. City University Graduate Center. Et la façade incurvée du gratte-ciel qui tient sur huit piliers de béton blanc comme de la craie. Devant l'édicule à odeur de mort où nous attendons de pouvoir traverser, on entendrait sûrement le cri des martyrs de la bêtise humaine, si la rue n'était aussi passante. Nous finissons par nous frayer une voie en labyrinthe entre un gros autocar rempli de touristes, un fourgon à hayon ouvert et un vélo qui me frôle un talon. Risque bénin quand on ne respecte pas les passages cloutés, dit Fran, enjouée.

Nous pénétrons dans l'immeuble, encastrés dans le même compartiment de la porte-tambour, où nous accomplissons deux révolutions avant de nous en extraire. Notre élan provoque l'éclat de rire de l'homme à moustache en plumeau assis dans la guérite en fer à cheval plantée devant les ascenseurs. Dans le renfoncement derrière la porte-tambour, il y a un bac avec des fleurs rosâtres. Devant celles-ci, plus en évidence, une femme nue, un bras par-dessus la tête, l'autre bras enserrant ses seins, sculptée dans une matière noire brillante, posée sur un socle cubique à trois degrés décalés de quelques centimètres. Le long des murs crépis blancs, il y a de grands bacs cylindriques blancs contenant des arbustes qui ressemblent à ces figuiers rabougris à force d'avoir été contraints. Ils sont trop reluisants pour être honnêtes.

L'homme à la moustache en plumeau nous demande où nous allons. Je n'ai pas besoin de consulter le tableau vers l'entrée de la banque, à droite. Ni les veinures du marbre vert, derrière lui, où s'inscrivent les destinations des quatre blocs d'ascenseurs : 2-12, on saute le treize comme si le quatorzième étage n'était pas le treizième, 14-25, 26-37, 38-48, comme s'il n'y avait pas deux étages supplémentaires qui constituent les meilleurs points de vue sur Manhattan. Je lui dis le dernier. Il choisit son sens à lui, nous adresse un sourire panoramique et nous dit prenez l'un des ascenseurs à gauche, en montrant la droite.

Je prends Fran par la main, la tire doucement, la pousse prestement devant moi, d'un geste court, essayant de calculer l'angle où me tenir entre le marbre vert et le type maintenant derrière nous, de façon qu'il ne capte pas cet instant où Fran va s'écrouler de rire. Elle se tient droit (à table) jusqu'aux boutons des ascenseurs, en effleure un du pouce, qui s'allume, la porte s'ouvre immédiatement, Fran s'engouffre dans la cabine, moi sur ses talons, et nous tombons dans les bras l'un de l'autre. Comme dans ces polars où un couple de malfrats se met à s'embrasser pour donner le change. Il ne nous manque qu'un journal de grand format pour censurer le plan, car il est coquin.

Exit de l'ascenseur. La réceptionniste est l'une de ces personnes dites de couleur, qu'on trouvait parfois à la devanture de bureaux au personnel passé à l'Ajax ammoniaqué, sans doute pour produire l'illusion de ce que les sociologues appelaient alors l'intégration, mais c'était le temps où l'Amérique était encore plongée dans la barbarie, aujourd'hui l'Amérique a bien changé, la suite tout à l'heure, après une page de publicité. La réceptionniste nous demande si elle peut nous aider. Je lui dis que oui justement, parce qu'on veut monter sur le toit et je connais un chemin à travers bois, ledit chemin est là. Je lui montre quelque chose, au fond du couloir, avec cette assurance du mec qui retourne au pays natal et il connaît chaque sentier, le nom de chaque fleur, les endroits où l'on peut traverser la rivière à gué, le mec a vieilli, il s'est marié, justement voici ma femme, resplendissante, les enfants viendront plus tard, pour le moment ce que nous voulons c'est monter sur le toit.

Abasourdie, la réceptionniste dit *wait*, attendez je n'saisis pas très bien. Je lui fais un nouveau dessin. Voilà, Fran, elle s'appelle Fran, et moi Ferdinand, personnages sains de corps et d'esprit, en tout cas pas plus fous que vous, en pleine possession de nos moyens physiques et mentaux, nous désirons monter sur le toit de cet immeuble afin de contempler Manhattan en général et les deux tours du World Trade Center en particulier, avez-vous des questions? Elle dit attendez. Elle prend son téléphone, appuie sur un bouton et appelle un chef quelconque. Elle repose le combiné, lève les yeux vers nous et demande en souriant c'est un gag pour l'anniversaire de quelqu'un ou bien un truc comme ça? Elle a des yeux en amande, une belle peau de sapotille.

Avant même que Fran ou moi nous ayons pu inventer quoi que ce soit apparaît une femme élancée, la quarantaine alerte, le brushing réussi et le tailleur ma foi pas mal coupé. Je commence un troisième dessin, qu'elle ne me laisse pas terminer. Elle dit vous me montrez le bureau du directeur. Je lui réplique ça ne change pas le fond du problème appelez-nous le directeur on lui demandera personnellement. Vous êtes fous qu'est-ce que c'est que cette affaire vous êtes. Elle repart en ouvrant des yeux de hibou.

Solidaire de l'atribilaire, ma congénère nous conseille de déguerpir si c'est un *private joke*, une plaisanterie érotique privée entre Fran et moi, parce que le service de sécurité de l'immeuble ne reconnaît que les gags du secteur économique privé. Elle le dit dans des termes différents : vous avez intérêt à reprendre l'ascenseur *right away*. Un bouton se met à clignoter sur le standard. Elle décroche, elle dit c'est rien monsieur des gens qui voulaient entrer dans votre bureau je crois qu'il y a erreur. Je me mets à gueuler. Il n'y a pas erreur. Nous sommes très sérieux au contraire. Il n'y a pas erreur bon Dieu.

Les yeux en amande deviennent des pommes, ou des poires, en tout cas très gros. Elle dit vous vous rendez compte de ce que vous faites vous êtes vraiment fous. Je regarde Fran. Fran me regarde. A.G. rapide et muette au terme de laquelle nous votons à l'unanimité la poudre d'escampette. Nous nous apprêtons à regagner la voie des ascenseurs, lorsque surviennent, d'un côté deux gardes de sécurité, de l'autre un costume trois-pièces gris-bleu. Nous sommes marrons.

Les deux vigiles sont un Noir, petit, rond, et un Blanc, grand, baraqué. Ils font tinter divers objets en arrivant. Ils crachotent des messages hermétiques dans des talkies-walkies à antennes menaçantes. Ils portent tous les deux un uniforme marine et deux matricules de shérif chacun : un sur la poche de chemise, l'autre sur la casquette. Le Blanc a un numéro plus important que le Noir. Mais le Noir a un pantalon plus large et des manches plus longues.

Le costume trois-pièces est un Blanc qui ressemble drôlement à King Gillette. Il serait tombé de la réclame verte qu'évoque Dos Passos au début de *Manhattan Transfer*. Il a *les yeux pleins de l'orgueil de ce qu'on peut donner pour un dollar*. C'est lui qui prend la parole en premier. Fran fait le quatrième dessin, tout en nuances, en contours diurnes, un vase d'opaline avec des mots comme quoi la situation a dégénéré tellement vite que nous n'avons pu la maîtriser. Pour faire bonne mesure, je rajoute un p'tit Mickey pittoresque comme quoi, pour des raisons professionnelles, il se trouve que je sais que son bureau bénéfice d'une exposition intéressante sur Manhattan.

King Gillette garde la parole et, en décideur, renvoie les casquettes, ordonne la métamorphose des pommes (ou poires) en huile d'amande douce et nous conduit dans le saint des saints, son bureau, d'une vastitude métaphysique, qu'il nous fait traverser, nous passons par une porte, débouchons sur un espace encore plus vaste que je reconnais cette fois, malgré des transformations surprenantes. King Gillette s'en va.

Fran vient vers moi les bras ouverts, elle se jette littéralement sur moi, j'ouvre les bras, je la prends dans mes bras, nous nous berçons en silence, il y a devant nous, au loin, le profil des tours jumelles du World Trade Center, à portée de nous le défi plus ancien de l'Empire State Building, presque à pouvoir le toucher. Puis nous parlons, nous évoquons l'accident qui faillit survenir du Boeing d'une compagnie aérienne sud-américaine, une erreur d'aiguillage, un affichage d'altitude faux, à la suite de quoi l'avion manqua s'écraser contre l'une des tours, le pilote redressant au dernier moment l'appareil lorsque la tour de contrôle se rendit compte de l'imminence de la catastrophe. Fran me dit qu'elle a parfois peur en avion, je lui dis que je passerais volontiers ma vie dans un avion à condition que ça ne soit pas un DC-8 trafiqué pour les charters pas chers. Manhattan à nos pieds nous grise. Nous ne regardons pas l'heure.

Je raconte à Fran comment, en 1973, je montais ici la nuit, souvent sur le toit, avec un passe-montagne et un duvet, je quittais mon studio de Brooklyn vers 17 heures et demie, je prenais le service à 18 heures et demie, je portais l'uniforme que nous venons de voir sur Laurel et Hardy, j'étais chargé de surveiller les voleurs, les assassins, les putes qui viendraient faire des passes sur le chantier, j'attendais que les quelques bureaux déjà en fonctionnement soient vides, il y avait toujours des connards qui faisaient des heures supplémentaires, et aussi les équipes de nettoiement, j'attendais que tout ce monde soit parti et je montais ici, ou sur le toit avec mon passe-montagne et mon duvet, regardant ébloui la nuit de Manhattan, les lumières de Broadway à l'ouest, la ville était un gigantesque Luna Park dans une forêt de lumières, avec des roues Ferris, des montagnes russes par-delà les bras du fleuve, et j'imaginais que les immeubles de petite dimension étaient des roulottes avec des femmes à barbe, des hommes-serpents, des curiosités tératologiques à la mesure de Manhattan, King Kong grimpait devant moi l'Empire State Building, des dragons cracheurs de feu venaient picorer des cacahuètes dans ma main, je naviguais à vue dans le dédale des rues, parmi les manèges multicolores, parmi les bolides de stock-cars.

Ici j'ai lu Marx et Engels, Barthes et Lacan, Lévi-Strauss et Foucault, et aussi le père Mao, que nous appelions alors Chairman Mao, ou parfois le Chairman tout court, c'était l'époque d'oser-lutter-oser-vaincre, je n'ai absolument pas le sentiment d'avoir perdu mon temps, sans nos certitudes militantes nous aurions été encore plus sauvagement écrabouillés par le temps, notre militantisme était l'honneur de ce temps, je dis à Fran qu'à présent il s'agit toujours d'inventer autre chose. J'ai la chance ou la déveine d'avoir beaucoup rêvé sur ce toit, d'avoir osé chanter sur ce toit.

Et j'ai toujours envie de rêver, de pêcher la lune, rester ici avec toi, attendre la nuit, la lune, sortir ma canne à pêche et ferrer la lune, le seul ennui c'est qu'il fallait descendre à intervalles réguliers, faire mon métier de vigile, je devais actionner un système d'alarme à l'aide d'une clé, sinon ça déclenchait un signal chez les flics qui rappliquaient, je remontais vite pêcher la lune, parfois cachée par le smog, j'ai jamais attrapé ni putes ni voleurs, j'ai juste repéré un début d'incendie un jour, à la suite de quoi la société me téléphona pour me féliciter par la voix de son directeur en personne, lequel me souhaita une brillante carrière de vigile de nuit. Le jour de l'assassinat de Salvador Allende au Chili fut la dernière nuit que je passai comme vigile à Manhattan.

J'ai l'impression que je redeviens grave. Je dis à Fran bon finies les conneries maintenant. Je me retourne et je vois King Gillette dressé devant son bureau, immobile: une photographie en sépia dans l'encadrement de la porte, surgie d'un autre temps, un anachronisme.

Je dis à Fran nous sommes un dimanche de la fin du XIXe siècle, la Bibliothèque publique de New York, juste au-dessous de nous sur Bryant Park, n'existe pas, à la place il y a un réservoir d'eau à l'égyptienne, son périmètre supérieur est une promenade à la mode, nous avons rendez-vous en haut du réservoir, Fran vient de descendre d'un tram tiré par des chevaux, je suis arrivé par les chemins de fer de Long Island, nous nous retrouvons tout en haut, nous dominons la Cinquième Avenue, Fran porte une robe longue avec des manches bouffantes, je n'ai pas enlevé mon haut-de-forme, nous marchons bras dessus, bras dessous, je marche avec de gracieux balancements de canne, le soleil se reflète dans l'eau, nous tournons dans le fer et la pierre, les réverbères et les balustrades, il y a un arc de triomphe à l'angle de la Cinquième Avenue et de la 57e Rue, l'église épiscopale Saint-Thomas vers ce qui deviendra au XXe siècle un musée d'Art moderne, la crête néogothique de la cathédrale Saint-Patrick vers la 50e Rue, il y a des trains qui éternuent à la Gare centrale, nous avons décidé de bouder le gala donné en l'honneur de l'amiral Dewey à l'occasion de sa victoire sur la flotte espagnole dans la baie de Manille, nous avons décidé...

Je suis debout, je déclame mes trucs à haute voix. Fran est pratiquement le cul par terre, morte de rire. Je me retourne et je vois King Gillette, dressé devant son bureau, immobile. Je devine son air ahuri.

Je déclame : [...] nous avons décidé Fran et moi de contempler le monde du dernier étage de l'immeuble où mon travail a été fossilisé dans le béton, où mes sueurs, mes nuits blanches, mes angoisses ont été mélangées au mortier, où ma vie a été atomisée dans l'air, où mon souffle a pénétré les pores de chaque mur, nous prenons le droit de rêver dans ces murs, nous prenons le...

Tout va très vite.

Pendant que je fais mon numéro et que Fran se tord, je vois King Gillette s'adresser à la femme élancée, laquelle opine du chef, il remue les lèvres et de temps en temps tourne la tête vers nous. Puis le voici qui vient, il passe la porte, marche jusqu'à nous, il demande vous en avez encore pour longtemps ? J'ouvre la bouche pour dire n'importe quoi. Fran pouffe, King Gillette dit d'ailleurs je ne comprends pas très bien ce que vous faites. Fran lui répond ce ne sont pas des choses que vous risquez de comprendre. Re-pouffe. Et moi, le ton de Jean Gabin à la rescousse d'Arletty, non monsieur je ne crois pas.

Surprise sur la face de King Gillette.

Les sourcils en accents circonflexes. Le front plissé. La bouche ouverte une fraction de seconde. Puis on entend *that's incredible*, c'est incroyable. La bouche encore ouverte une fraction de seconde après le dernier mot. Comme sur un film mal doublé. Il regarde Fran. Il me regarde. Les yeux allant de moi à Fran. Puis moi. La bouche de nouveau ouverte. On entend *what the hell are you fucking about?* Que diable êtes-vous en train de foutre? Mon réflexe est immédiat. Presque automatique. Je lève la main. Je dresse l'index. Je dis pas de grossièreté s'il vous plaît. C'est Gabin comptant à rebours une minute avant d'administrer la gifle.

King Gillette décontenancé, violet maintenant, répète c'est incroyable non mais c'est incroyable. Fait volte-face. Regagne à pas rapides son bureau. Fran me tire par la manche de l'anorak. Elle dit barrons-nous d'ici ce gars-là devient trop nerveux. Nous emboîtons le pas à King Gillette. Nous passons la porte juste derrière lui. Il s'empare du téléphone, sélectionne du doigt une ligne, en faisant un bruit de bouche étrange et en secouant la tête comme un chariot de machine à écrire déglinguée. Il dit, et sa diction calme contraste drôlement avec son expression déroutée, il dit j'ai dans mon bureau ce groupe de deux personnes *disruptive*[6] pourriez-vous venir d'urgence? Nous prenons la direction de la sortie.

La femme élancée déboule dans le couloir, une main sur la bouche, avec des yeux de hibou halluciné. Puis elle tend la main vers nous, la paume en avant. Je vois le tableau comme un de ces clichés de guerre ou d'émeute dont le photographe a pressé le déclencheur juste au moment où un

---

6 Le lecteur est aussi pressé que nos deux héros affrontés à King Gillette pourra traduire *disruptive* par ce mot français commode dans son imprécision même: *bizarre*.

soldat ou un flic, un olibrius quelconque crie pas de photo. Le hibou crie attendez. Elle a crié assez fort. Dans quelques secondes, il va y avoir tout le personnel de l'étage ameuté. J'arrête l'élan de Fran vers la sortie. Nous battons en retraite dans le Q.G. de King Gillette.

Il est assis sur le bureau, un pied sur la moquette, l'autre en l'air, qu'il ballotte en petites saccades véloces. Il porte des mocassins noirs vernis. Je lui dis c'est pas possible d'être aussi nerveux. Il se redresse d'un bond et dit *you're going to be in big trouble*, vous allez avoir de gros ennuis. Fran dit c'est vous qui avez donné la permission d'entrer dans votre bureau on vous a pas forcé. À ce moment, le hibou débarque, se tient dans l'embrasure de la porte. Elle se tourne vers son supérieur hiérarchique, sans bouger plus avant, elle dit la sécurité est là.

Au fond du couloir, voici Laurel et Hardy. Ils crachotent encore plus dans leurs talkies-walkies. Ils font tinter encore plus de choses en courant. Les gens qui sont sortis des deux côtés du couloir, alertés par les hululements du hibou, s'écartent sur leur passage. Les voici dans le bureau. Hardy s'adresse directement à King Gillette, tandis que Laurel s'approche de nous. Le petit Noir rond dit que se passe-t-il monsieur? Le grand Blanc baraqué demande *suspicious*[7]? King Gillette reprend la parole avec une sérénité impeccable. Il dit rien de bien grave ce jeune homme et cette jeune femme sont entrés ici avec mon autorisation. Il

7 C'est *disruptive* en langage sécuritaire.

regarde vers nous et poursuit je ne les connais pas et je trouve qu'ils ont un comportement bien curieux.

Le malabar nous observe avec une tête assez inexpressive. Il mastique un chewing-gum avec des mouvements de mâchoires dangereux. Il sent une eau de Cologne alarmante. Le nabot, d'une voix nasillarde, avec un grand déséquilibre harmonique, pose des questions insolites. Il nous demande est-ce que vous avez mis vos noms sur le gros cahier en bas? King Gillette émet la seule déclaration qui nous intéresse vraiment. Il dit *please* escortez-les jusqu'à la sortie de l'immeuble. Puis il se tourne vers le hibou et conclut *well* où en étions-nous dans ce dossier?

Et revoilà nos deux héros dans le couloir. Fran me fait discrètement des yeux doux. L'armoire à glace nous précède en beuglant, entre deux coups de mâchoires, de nouveaux messages cryptés paranos dans son talkie-walkie. Le nabot ferme le cortège en sonnant les matines avec ses clés. Il s'arrête devant la réceptionniste, juste avant les ascenseurs. Il dit comment allez-vous aujourd'hui Miss Baker?

Quelle belle soirée !

Nous marchons sur la Huitième Avenue, vers le nord.

Il est bientôt 17 heures, il fait encore beau. La circulation est dense, les gens se marchent sur les pieds. Fran me dit qu'elle n'aime pas Manhattan à cette heure le vendredi après-midi. Je lui dis moi non plus le métro est invivable les autobus sont bondés les taxis ne vont pas vite quoique je préfère cette caisse d'isolation lente aux broyages d'orteils des transports communs. L'idéal c'est encore de marcher.

Dans le self où nous entrons boire un café, la caissière coréenne et une cliente noire discutent avec véhémence. La Noire prétend avoir déjà réglé son plateau. La Coréenne soutient que non. Ça dure un temps. Fran et moi, nous attendons derrière la Noire, avec nos deux gobelets fumants. Le différend ne se dénoue pas. Toutes les gammes.

De l'insinuation à l'insulte. À la fin, elles ne s'adressent plus la parole. Elles se regardent. Nous abandonnons nos gobelets. Ressortons dans la cohue.

L'idée de prendre une chambre d'hôtel nous vient en même temps.

Le groom conteur d'histoires de rats nous accompagne à la chambre. Dans l'ascenseur, nous sommes sept personnes à observer qui le plafond de la cabine, qui ses souliers, qui le défilé du signal lumineux sur les numéros d'étage. Fran se plaque contre moi, de face, enfonce sa tête dans mon anorak. Je regarde les épaulettes du groom en essayant de planifier un emploi du temps pour les quinze minutes à venir. Programme téléphonique. Je m'assure d'un geste machinal de la présence dans ma poche du calepin où se trouvent les informations nécessaires. Je me rends compte que depuis plusieurs années je ne connais par cœur que trois numéros de téléphone à New York (Jenny, sa grand-mère, Mike). Et quatre numéros à Paris, en comptant le mien qu'il m'est cependant déjà arrivé d'oublier, même si je l'ai tout de suite retrouvé après un petit effort mnémotechnique.

Here we are, dit le groom.

Nous sortons de l'ascenseur.

À droite.

Le couloir.

Encore à droite.

La porte qu'ouvre l'homme galonné.

De la fenêtre, on voit en plongée la masse végétale de Central Park.

Pourboire.

Fran dit qu'elle va s'endormir si elle n'avale pas tout de suite un café. Je lui dis c'est pas les endroits qui manquent dans le quartier à commencer par le rez-de-chaussée de l'hôtel. Elle me dit qu'elle a envie de prendre l'air. Je lui dis j'ai une série de coups de fil à passer. Qu'elle prenne son temps. Elle pose son sac sur le lit. En sort un petit porte-monnaie. Elle dit t'as besoin de rien ? Je dis non rien.

Je m'assieds sur le lit.

Je pose le calepin sur la tablette de chevet.

Je décroche le téléphone.

Une jolie voix féminine me demande ce que je désire.

New York. Hoboken. Paris.

J'annule un premier rendez-vous avec Teo, mon pote de Harlem, il me dit oh c'est dommage *bad man, bad*, on y était presque, persévère, je lui dis ça va j'ai trouvé une combine, en fond sonore il y a quelqu'un qui égrène *The man I love* au piano, je voulais expédier Teo, j'essaie de faire traîner jusqu'à *You look at me and smile I understand*, je lui dis alors les Blancs de l'immobilier t'ont toujours pas piqué ta baraque ? Teo tombe dans le panneau tête baissée, me raconte tu sais ce que ces damnés bandits viennent de faire à deux blocs d'ici, je dis raconte, il démarre, la voix fredonne *You look at me*, je ferme les yeux jusqu'à *understand*, puis je dis Teo excuse-moi mais je suis très pressé je t'écrirai de Paris.

J'annule un deuxième rendez-vous sur un répondeur automatique qui me raccroche au nez avant même que j'aie fini ma phrase, je redemande le même numéro et, top parlez, complète la phrase en tenant compte du temps limite, top terminé.

J'appelle mon pote de Hoboken qui me donne des nouvelles de sa femme, de leur gosse et du chien avant de s'enquérir de l'objet de mon appel, voilà je dois rentrer à Paris en catastrophe, parce que des témoins dignes de foi y ont signalé la présence de l'homme qui a vu l'homme qui a vu l'homme, je vais le courser jusqu'à ce que je l'attrape, je te tiendrai au courant, courrier suit, veuillez agréer l'expression de mes, et cætera.

Je passe trois coups de fil à Paris, à des gens que je ne dérange pas à 11 heures du soir. Des amis quoi.

Quelqu'un m'apprend que ça va mal très mal en France merde pas possible la prochaine fois je vote plus non mais. Je lui dis qu'ici à New York ça va comme sur des roulettes la prospérité le bonheur la liberté l'égalité la fraternité le respect des droits de l'homme y'a qu'à se baisser et ramasser j'ai même trouvé l'amour l'amour fou fou fou.

Quelqu'un m'apprend qu'il a fait très beau aujourd'hui de la Picardie à l'est du Rhône mais des orages isolés risquent de gagner le Bassin parisien dès lundi. Je lui dis comment tu sais que je rentre à Paris lundi matin ?

Quelqu'un me dit t'as vu ce qui se passe à Haïti ? Je demande Tahiti ou Hawaii ? À Haïti. Je réponds d'abord on ne dit pas *à* Haïti c'est un hiatus d'ignare il faut dire *en* Haïti et en marquant bien la liaison ensuite et enfin je m'en fous complètement aujourd'hui on en reparlera demain.

J'appelle chez Jenny. À tout hasard.

Surprise. Elle a rebranché le répondeur. J'avais complètement oublié ce répondeur, qu'elle engrange dans le cagibi. Quand je suis là et que Jenny met le répondeur, ça veut dire qu'elle ne me laisse aucun prétexte pour ne pas écrire. Elle fait ça quand elle me soupçonne de traverser une période improductive. Elle accompagne ce geste d'une méchante plaisanterie. Le malheur de l'écrivain est de ne pas savoir s'installer dans une pièce sans téléphone. Sur le répondeur, la voix de Jenny.

Elle annonce qu'on peut laisser un message soit pour elle soit pour moi. Elle ne limite jamais le temps de parole.

Je tousse. Je dis salut c'est moi. Voilà j'espère que t'es plus fâchée. On en parlera de tout ça. Si tu passes avant moi laisse-moi un mot. Je ne vais pas rentrer ce soir. Je.

Je me rends compte que je suis en train de déconner complètement. Je raccroche.

Je déchire une feuille du calepin.

Je griffonne un mot à l'adresse de Fran, lui disant que je reviens à l'hôtel plus tard, mais surtout qu'elle fasse ce qu'elle a envie de faire, qu'elle se sente libre de changer d'idée. J'ajoute nous sommes en Amérique.

Le couloir.

L'ascenseur.

Le hall.

Je rends la clé avec le mot dans une enveloppe à en-tête de l'hôtel.

Je sors dans la rue.

Je hèle un taxi.

Sheridan Square.

Je saute du taxi comme un fou.

Salue le gardien en courant vers les ascenseurs.

L'ascenseur.

Le couloir.

La porte.

J'efface mon message sur le répondeur.

Vais m'asseoir devant la table.

M'empare du sous-main sur lequel il y a la rame de papier blanc.

Sors mon stylo. Le décapuchonne.

J'écris. Chère Jenny.

Je débloque la feuille sous la pince. La déchire.

Jenny.

Je reste deux à trois minutes, figé, le stylo dans la main.

Je pense à la porte du frigo.

Je me lève, la porte, le couloir, la cuisine.

Rien.

Je retourne à la table, me rassieds.

Je déchire la deuxième feuille.

Je reste ainsi je ne sais pas combien de temps, le papier devant moi, le stylo dans la main, la lumière qui progressivement baisse, je recapuchonne le stylo, le pose sur la table, j'essaie de ne penser à rien, je reste assis dans la pénombre je ne sais pas combien de temps, j'entends les bruits de la rue.

Je me lève. Vais vers le coffre. Me baisse. Ramasse le téléphone. Je commence à former le numéro de Mike, je ne le termine pas. Je commence à former le numéro de la grand-mère de Jenny, je ne le termine pas. Je suis debout avec le téléphone dans la main. Je vais vers le lit. M'assieds. Le téléphone sur un genou, je compose le numéro de l'hôtel, demande la chambre, Fran décroche tout de suite.

Je lui demande ce qu'elle a l'intention de faire.

Elle me répond pffffff je ne sais pas.

Je lui dis bon moi non plus.

Elle me dit Bill est là je ne sais pas quoi faire.

Faudra bien qu'tu fasses quelque chose.

Je sais.

Bon y'a un *delicatessen* à deux pas de l'hôtel.

Je connais.

On s'rencontre là.

Je marche jusqu'au métro.

Je marche jusque vers l'hôtel.

Je la trouve, assise à une table au fond, elle sourit en me voyant arriver.

Je souris.

J'ai faim.

Les Knickerbockers

À pas rapides, nous descendons la Septième Avenue, vers Madison Square Garden, en mordant dans nos sandwiches énormes que l'inspiration subite de Fran ne nous a pas laissé le temps de terminer. Mais. Elle s'est exclamée. Mais nous. Sommes vendredi. J'ai dit oui et alors ? Les Knicks. Les Knicks ? On va pas rater ça. Ça quoi ? Ils jouent ce soir quelle heure il est ?

19 heures et demie passées.

Elle m'a dit viens. Qu'avec un peu de chance on trouvera des billets au marché noir auprès des *scalpers*. Et qu'on n'a pas le droit de rater ça les Knicks contre Los Angeles pour rien au monde. Nous avons demandé l'addition, l'avons réglée, puis nous sommes partis en courant.

Nous trottons dans l'air plus froid maintenant de l'avenue.

Elle s'est engagée dans un dédale d'explications d'où je conclus, avant même qu'elle ait terminé, ceci. L'équipe new-yorkaise de basket-ball, les Knickerbockers, rencontre ce soir l'équipe de Los Angeles. James Worthy joue dans l'équipe de Los Angeles. Bill est un fan de James Worthy. Fran est pour les Knicks. Elle espère que Bill va prendre une bonne raclée. Pas question de ne pas assister à la défaite de Bill. On va le rouler dans la farine.

Honte à moi, tout ce que je sais du basket-ball, c'est qu'il y a deux équipes de cinq charlots qui jouent à se transpercer le panier avec un ballon et qu'on a intérêt à être haut perché. En raison sans doute de ma taille et de ma couleur, on m'a souvent fait des propositions, lancé des défis sur un terrain de basket, que j'ai toujours eu la sagesse de décliner. Je me souviens aussi d'avoir été, contre mon gré, le Père Noël pour un gosse qui m'avait pris en chasse dans un avion, il était persuadé que j'étais je ne sais plus quel célèbre joueur, il voulait que je lui signe un autographe, ses parents avaient beau l'assurer que je n'étais pas celui qu'il croyait, il ne voulait rien entendre, à la fin je lui paraphai une énigme de ma plus belle plume, sous la dictée des parents qui me soufflèrent l'orthographe d'un nom que je ne connaissais pas, le gosse s'en fut, ravi.

Fran est épatante.

Elle sait que les Knicks jouent quatre-vingt-deux fois par an, quarante et une fois à New York, quarante et une fois ailleurs dans le pays. Elle sait que les meilleures équipes sont celles de Boston, de Philadelphie, de Los Angeles, et que la meilleure des meilleures est bien sûr celle de

New York. Los Angeles on va les enfoncer. Elle sait aussi que le meilleur billet devrait coûter dans les seize dollars. Les places rouges. Peut-être deux à trois fois plus cher au *scalping*. Quelle heure il est? Et qu'il va falloir faire gaffe aux flics qui surveillent. Et de ne pas m'inquiéter. C'est rien. Interdit mais toléré.

Enthousiasme bavard, tandis que nous avançons vers la 33e Rue, elle manque de s'étrangler, nous nous arrêtons, je lui assène des petits coups de poing dans le dos, des petites tapes de secouriste goguenard, jamais parler la bouche pleine, elle a les yeux mouillés, elle reprend sa respiration, et nous nous embrassons avec saletés de sandwiches dans la bouche. Elle ronronne, je ronronne, nous repartons en courant.

Sur l'esplanade de Madison Square Garden, à peine la place pour une épingle. La guérilla entre les flics et les trafiquants me semble plutôt molle. Il n'y a plus de billets au box-office depuis plusieurs heures selon certains, depuis hier matin selon d'autres, encore un peu il n'y eut jamais de billets, les rumeurs circulent de groupe en groupe, en ondes émises de nulle part, s'élargissant, rebondissant, les jeux de distorsion de l'information sur un sujet simple, les contre-vérités facilement vérifiables, me réjouiront toujours, je lance l'idée comme quoi il n'y a plus rien depuis au moins deux jours et demi, elle se propage, deux minutes plus tard quelqu'un me la ressert avec cette assurance indémontable de celui qui justement acheta le dernier billet restant, la vingtième mille place.

Fran se démerde comme une cheftaine pour nous trouver deux places.

Poussez pas les gars.

Nous sommes assis dans des fauteuils verts. Parmi un peuple survolté. Le genre d'atmosphère que, sauf raison professionnelle, j'évite. Fran sort de son sac un bandeau de velours mauve dont elle se ceint le front, en un geste étrangement rituel.

Puis c'est l'affrontement entre New York et Los Angeles. Il y a des hurlements. J'entends *get it.* J'entends *over*. Il y a des coups de pied. J'en reçois un. Je fais remarquer à Fran que le basket faut pas mettre les pieds. Elle me dit regarde mais regarde. En m'administrant un nouveau coup de pied.

Le délire prend fin à 22h35.

Il y a des gagnants et des perdants, ça m'est indifférent.

Il y a la ruée vers les sorties du stade.

Il y a l'oxygène glacé de la rue qui nous saisit.

Il y a le taxi que nous cherchons, le taxi que nous trouvons, l'adresse de l'hôtel que nous donnons, nous nous pelotons sur la banquette du taxi, il y a mon désir d'elle, il y a son désir de moi, son désir tout court, c'est elle qui dit, tandis que nous roulons sur la Huitième Avenue vers le nord, fou ce que j'ai envie.

Il y a Fran qui accomplit dans l'ascenseur ce geste d'enlever son bandeau comme si elle se déshabillait.

La vie à genoux

Penchée un instant à la fenêtre.

La peau nue. Ses rondeurs.

Le slip de coton blanc qui épouse ses courbes.

Le défi insolent de ses fesses.

Ce corps dans l'encadrement de la fenêtre.

Ce corps cambré à la fenêtre.

Je suis nu dans le lit.

Penchée à la fenêtre, elle se redresse.

Elle se retourne. Ce sourire. Ces yeux. Ces cheveux noirs en brosse.

Ces seins nus. Ces seins debout.

Ce ventre doux. La faille du nombril. L'œil du ventre sur l'arc tendu, qui me regarde. La ligne moulante du slip sous l'œil du ventre.

Cette cambrure tandis qu'elle se retourne. Le triangle bosselé. Le frémissement du triangle bosselé.

Je suis nu dans le lit.

J'ai une précise sensation de bonheur simple.

J'ai des pensées fuyantes.

Elle vient vers moi. Le tressaillement des narines.

Il n'y a pas de mot pour cette souplesse du mouvement.

Il n'y a pas de mot pour cette agilité du pas.

Les cuisses. Les jambes.

Le corps qui se dépose tout en adresse dans le lit.

L'élan des jambes.

La cheville que je prends dans ma bouche. Le pied dans ma bouche.

Il n'y a pas de mot pour le mouvement de ma bouche.

Cette exploration du pied, de la jambe, de la cuisse. Le slip.

Il n'y a pas de mot pour dire le trouble de ce saut de la bouche dans l'indicible.

Elle a des cris qui n'ont pas de nom.

Elle a des cris qui se contentent de sortir de sa bouche.

Ses lèvres qui crient. Ses lèvres.

Le dessin des lèvres.

Je mange le dessin des lèvres.

C'est un dessin mou, mobile, un dessin de glucose, une figure molle qui se défait dans ma bouche, qui se défait sous mes dents, qui se recompose dans mon cou, qui se recompose sur ma poitrine, qui se recompose sur mon ventre, qui se recompose.

J'ai la cervelle qui. Bientôt je n'aurai plus de cervelle. Bientôt je ne serai plus qu'un cri, le cri du mec qui sent sa cervelle descendre, sa cervelle qui suit les pistes enchevêtrées du ventre, sa cervelle qui s'engage dans l'ouverture du dessin recomposé, dans la mobilité aspirante du dessin des lèvres recomposé. Je ne suis plus que cri.

Maintenant je suis à genoux.

Maintenant elle est à genoux.

La lumière est à genoux.

La vie est à genoux.

Notre souffle est à genoux.

Il n'y a pas de mot pour dire ce moment où tout est à genoux sans que la vie soit menacée.

Nous ne sommes plus que tumulte.

Nous ne sommes plus que cri.

Il n'y a pas de mot pour cette danse de deux corps dans l'espace d'une chambre.

Il n'y a pas de mot pour ces mouvements.

Ces cris. Ces cris.

Il n'y a pas de mot pour deux corps en mouvement qui crient.

Vu de la statue de la Liberté

Existe-t-il sensation plus agréable? Un réveil en douceur, on a dormi, on a dormi beaucoup, on a le sentiment d'avoir rêvé, on ne se souvient pas des rêves, la nuit n'a pas laissé de traces conscientes, j'ai dormi plusieurs heures d'affilée, peut-être sept, pas fait de cauchemar, pas peur du corps de Fran. Tous ces réveils où il m'arriva de trouver dans un lit un corps dégoûtant, corps du délit de fuite, corps des peurs de la veille, ce n'est pas une affaire esthétique, ce furent souvent de très beaux corps, c'est dans la tête que ça se passe, ça joue sur des détails, des quarts de dièse, avec Fran c'est différent. C'est ici que les ennuis commencent. Toute une nuit à oublier Jenny.

Fran n'est pas dans le lit. La fenêtre est entrouverte. Les rideaux sont ouverts. Le morceau de ciel que je vois est presque bleu. La lumière. Du lit, je ne vois pas le parc. J'aime cette chambre. Je pense que si je l'avais eue le soir de mon arrivée, je serais resté dans cet hôtel. Je pense aussi que si j'étais resté ici, je n'aurais probablement pas rencontré Fran. Je pense que si je n'avais pas rencontré Fran, les choses avec Jenny seraient encore équivoques, mais c'est évident qu'elle ne m'aime plus, ça y est t'es même pas levé que tu recommences.

Je suis malade de Jenny. Ma seule chance, c'est Fran. J'ai conscience au réveil que je suis content d'être dans ce lieu, à cet instant précis, avec Fran. Si elle n'était pas là, je serais vraiment dans la déprime totale. Rien de tel qu'une femme pour vous faire oublier une autre femme. Ici commencent les affres. Ici commence quelque chose d'innommable. Ce n'est pas l'amour. Ce n'est pas rien non plus. *Something like a bird.* Si je mets de la musique, ça sera n'importe quoi, ça ne sera pas Mingus, voilà les inconvénients de n'importe quel hôtel.

Le téléphone n'est pas là.

J'en suis le fil du regard, il est dans la salle de bains, la porte est fermée. Le sac de Fran est posé dans le fauteuil près de la fenêtre. Dommage qu'il ne faille pas fouiller dans le sac des dames, je prendrais bien son walkman, si ça se trouve elle a une cassette de Mingus. Je me rends compte que je ne sais pas grand-chose d'elle. Pas assez pour dire que je ne la connais pas. Jenny, je ne la connais pas. Fran, je connais : une fille qui a largué son mec et batifole avec un autre mec.

Je pense à la grand-mère de Jenny. Nous avons nos complicités. Parfois au téléphone, je lui demande quelque chose. Tu sais pas où est Jenny ? Elle me répond Jenny tu sais comment elle est. Je ne sais pas moi comment elle est Jenny. Merde, je suis à peine réveillé que ça commence.

Je crie Fran arrête de m'tromper.

Elle entrouvre la porte de la salle de bains. Elle est à poil. Elle parle au téléphone. Je l'entends donner l'adresse de l'hôtel en disant à quelqu'un mais c'est pas possible cet hôtel tout le monde connaît. Elle raccroche. Vient vers moi. Elle dit je suis encore tombée sur un Haïtien. Je lui dis c'est bien ta chance. Elle répond je viens de louer une bagnole. Je dis pour quoi faire ? Elle dit Bill je l'emmerde.

La statue de la Liberté s'il vous plaît ?

Continuez à zigzaguer c'est droit devant vous.

Envie de revoir la vieille salope qui domine la baie avec son cornet de glace mégalo, elle n'est jamais retournée sur ce lieu depuis son enfance, je refuse énergiquement, je lui dis que ce lieu n'existe pas, qu'elle l'a rêvé, que c'est un mirage, un cas typique d'hallucination collective, que tous les New-Yorkais ont cru voir un jour une Liberté majuscule éclairer le monde depuis la baie de New York, un peu comme d'autres ont vu des soucoupes volantes, et moi je suis Napoléon. Elle me jette au bas du lit, elle me fait le coup de Chester Himes, *attrape un nègre par l'orteil, s'il braille lâche-le*, elle me tire par un pied vers la salle de bains, je proteste, je lui balance toutes sortes de revendications comme quoi si tu vois passer la Liberté un jour fais-moi signe on prendra un verre tous les trois ensemble, je lui fais le coup classique du nègre, tentative de viol avec effraction, elle l'échappe belle un première fois, elle me tire encore, je récidive, je veux lui faire sa fête, elle veut en faire à sa tête, or voilà elle est plus habile que moi, elle a la foi du charbonnier, la Liberté existe elle l'a rencontrée.

Et me voilà debout dans la baignoire, elle est en train de me laver, il ne me manque que le pouce dans la bouche pour être heureux, elle dit t'es trop grand assieds-toi dans la baignoire, je lui réponds t'as qu'à prendre un escabeau, elle rigole comme une dingue, je lui dis que non vraiment ça m'intéresse pas d'aller voir la statue de la Liberté mais t'es dingue d'où est-ce que ça te vient des idées folles comme ça m'enfin qu'est-ce que c'est qu'cette. Elle me répond d'abord ici nous sommes en Amérique t'as intérêt à bien te tenir, ensuite ferme les yeux je vais mettre du savon, je réponds oui maman, elle dit et de trois ferme ta grande gueule on va voir la statue de la Liberté.

Et me voilà dans le hall de l'hôtel à la regarder rendre la clé à la réception bourrée de monde, arrivage de touristes, congrès de gens très sérieux, ou que sais-je, je suis le gosse paumé dans la foule, un jour de carnaval, j'ai perdu ma maman, d'abord ça m'a paru drôle, et puis après tous ces gens bizarres qui me marchent sur les pieds, s'agitent dans tous les sens, s'interpellent, se renvoient des signaux étranges, si maman revient pas dans une minute je vais chialer, elle revient en souriant, dit tirons-nous d'ici hou là là.

Et nous voilà dans le parking, en train de remonter la rampe, c'est elle qui conduit, c'est elle qui dit je crois que j'ai fait une connerie en louant cette voiture on aurait pu pour aller à la statue de la Liberté marcher jusqu'à Grand Central et prendre le train numéro cinq jusqu'à Bowling Green tu sais cette station prétentieuse avec des plafonds très bas des colonnes moches et les fauteuils circulaires nous aurions après ça traversé le parc par State Street pour prendre le ferry. Je ne réagis pas. L'impression d'une pièce ou d'un film, un roman où chacun de nous joue le même rôle à tour de rôle, ou les mêmes rôles en même temps, de toute façon c'est très agréable.

La circulation. Parlez-moi de la circulation.

Battery Park. *Department of Ports & Terminals.* J'ai toujours trouvé à cet immeuble une forme de vieux vaisseau, le métal peint en vert, nous sommes dans le parc, le terrain de jeux pour enfants, pourquoi est-ce qu'il n'y a jamais de terrain de jeux pour adultes? Ça s'appelle des champs de bataille, dit Fran. Moi j'préfère les balançoires les toboggans et en plus c'est gratuit. Je suis déjà au sommet du toboggan. Je glisse vers Fran. Mais elle est au sommet aussi. Elle glisse. C'est moi qui la reçois. Dans mes bras. Elle ferme les yeux. Je ferme les yeux. Nous nous embrassons.

Elle dit que je suis doué pour les détails. Que c'est sans doute une qualité. Que je risque un jour de m'y noyer. Elle ajoute dans un rire toi qui ne sais pas nager. Ça ne faisait pas vingt-quatre heures que je lui avais dit. Je lui dis tu t'rends compte t'es déjà en train d'utiliser contre moi mes propres confidences. Elle répond avec moi tu risques rien. Un mot de Jenny. Je pense que c'est comme ça qu'on se file des langages, des tics, et (je souris) des microbes.

Je lui avais raconté mon rapport ambigu avec la mer. Je rêve souvent de paquebots. Je suis né sur une île et, à mi-chemin entre la trentaine et la quarantaine, je ne sais toujours pas nager. Elle me regarde. Elle me dit avec moi tu risques rien pourquoi tu souris? Je lui avais dit aussi que je flotte bien, que je flotte longtemps, et c'est vrai. Avec Jenny j'aurais ajouté et j'ai bien l'intention de flotter le plus longtemps possible.

Fran et Jenny ont deux choses en commun. La première, c'est maintenant que je le réalise. Fran me dit réaliser c'est un anglicisme ça. Je lui dis t'as la même bouche qu'elle. Ah bon j'avais pas remarqué. Je lui dis tu l'as pas vue pour longtemps c'est comme pour Mike. Elle me dit ça m'flatte beaucoup. La seconde chose qu'elle a en commun avec Jenny, mais ça je ne le lui dis pas, et elle oublie de le demander. C'est qu'elles captent tout très vite et me renvoient la balle tout aussi vite. C'est un truc assez américain. Un truc de gens qui jouent au base-ball et au soft-ball. Ma manière de tricher est d'être lent.

Quand je change de lieu sans donner l'impression de bouger, quand je narre ma vie sans en avoir l'air, quand je suis dans la mobilité tranquille du paquebot, Fran ou Jenny me renvoie la balle de temps en temps, parfois je fais semblant de ne pas comprendre, parfois malgré moi je réagis, elles saisissent à quel point c'est important, ou bien elles poussent le fer un peu plus à fond dans la plaie, ou bien elles battent en retraite, me gracient, clémence provisoire de toute façon, car elles recommencent plus tard.

Je me tais souvent. Elles interprètent mes silences. Je m'absente, elles interprètent mes fuites. Je décroche. Ça y est tu décroches. C'est fou cette capacité que t'as de décrocher en catastrophe. C'est bien le mot. Comme on dit d'un avion en détresse qui atterrit sur le ventre dans un champ de neige. La supériorité de Jenny sur Fran, c'est que je connais encore mal l'histoire de Fran. Et j'aurais envie que ça reste comme ça. Pas envie de connaître Fran plus avant. Fran plus Jenny, plus moi, c'est beaucoup trop pour un seul homme.

Il me plaît d'être sur un ferry-boat affublé d'un nom comique : CIRCLE LINE STATUE OF LIBERTY, avec Fran accoudée au bastingage, nous nous sommes embrassés, je lui ai dit je ne sais plus quoi. Plaisir simple d'être avec elle, maintenant assis tous les deux sur ce banc à clairevoie, dans le bateau qui tangue doucement, sous ce ciel d'hiver exceptionnellement bleu, devant les arbres de Battery Park, devant les miroirs noirs des gratte-ciel, devant les tours jumelles du World Trade Center, avec des touristes éblouis, des enfants qui piaillent, de vrais gens en pèlerinage sur les sites d'un mythe, dans le bateau qui maintenant appareille.

L'embarcadère. Bruits de chaînes et de cordages. Ronronnement du moteur. Et propos futiles. Il y a des mouettes. Loopings, surplace, tonneaux, surplace, piqués. Des mouettes suralimentées, dis-je à Fran. Dans ce pays, de Galveston Texas, au littoral de la Nouvelle-Angleterre, en passant par la Floride, je n'ai jamais rencontré que des mouettes lourdes, des misères d'oiseaux au vol de plomb. Elle dit que je ne suis pas là pour critiquer mais pour admirer.

J'admire l'eau verdâtre, le mouvement tournant du bateau à l'arrivée comme pour dribbler la Liberté ou pour lui donner l'ultime estocade. J'admire le débarquement sur l'île de la Liberté, sa maison de briques rouges avec des portes et des fenêtres blanches, la boutique de souvenirs dans le bunker approvisionné en gris-gris patriotiques, les drapeaux, les médailles, les badges, les trophées, les cartes postales, les diapositives, les porte-clés, les tee-shirts, toutes ces preuves tangibles de l'existence de la Liberté que chacun ramènera chez soi, du côté des prisons, du côté du chômage, du côté de la faim, du côté de la guerre, des guerres, du côté des supplices. J'admire les pigeons de la Liberté picorant les reliefs de piqueniques dans les interstices du béton. J'admire la variété des formats de la Liberté, de la miniature en plastoc à la Grande Mégalo. Cadeau français, dit Fran, faut pas s'moquer.

J'aimerais bien n'avoir nulle raison de me moquer. Je ne demanderais que ça. D'être debout maintenant, devant la mer, à écouter les clapotis de l'eau contre la jetée, à écouter la volée de cloches des bouées sur l'eau, à écouter les mouettes qui planent sur l'eau. D'être debout maintenant, les yeux dans le binoculaire panoramique, à regarder les tours jumelles du World Trade Center, à regarder le pont de Brooklyn, à regarder les maisons de Brooklyn, à regarder les cargos devant Governors Island, à regarder Verazzano Narrow Bridge, sur la bande-son des mouettes qui traversent la scène, le hors-bord qui s'approche de nous, les bols chantants de la bouée verte sur l'eau, dans le vent qui t'ébouriffe les cheveux.

Sur le bateau, elle fait un numéro de guide qui amuse beaucoup les gens – *Why is the Statue green? Over the years, exposure to the elements has caused the copper shell of the Statue of Liberty to turn to its light green color. This is called patina*[8]. Elle se mélange les pédales dans les dates et les sulfates, les éclats de rire, la mêlée polyglotte, les cris des mouettes, le ciel bleu, le vent, l'odeur de mazout, tout fait du retour vers Battery Park un moment d'humble joie commune. Donnez

---

8 Pourquoi la statue est-elle verte ? Au cours des ans, l'exposition aux éléments naturels a provoqué cette métamorphose du revêtement en cuivre de la statue de la Liberté, devenu vert pâle. Cela s'appelle patine.

n'importe quoi aux gens, ils finissent par y courser le bonheur.

Dans le parc, il y a un vieux Noir en costume mexicain et sombrero, assis sur un banc, avec une trompette dans la main droite, un vieil accordéon orné d'un nœud doré sur la cuisse gauche, qu'il déplie et replie de la main gauche, au sol il y a des cymbales et une grosse caisse qu'il actionne des pieds, il joue de tous les instruments en même temps, de la musique de mariachi, des choses comme :

Gua-da-la-ja-ra
Gua-da-la-ja-ra

Les gens marchent à fond, fredonnent, dansent, rigolent.

La scène se déroule en présence de trois soldats de la marine, un blessé torse nu, porté par deux compagnons avec le fusil en bandoulière. À la mémoire des garde-côtes américains tombés sur le terrain de jeux des adultes responsables et mûrs entre 1941 et 1945.

Je réclame un monument à la gloire du vieux Noir de Battery Park, le Mexicain bariolé, qui a baptisé sa formation du plus beau nom pour lui imaginable : *One Man Band.*

Dans l'herbe fraîche

Samedi, alentour de midi, dans l'air de Battery Park, il y a du soleil, des gazouillis d'oiseaux, de l'euphorie et des baisers.

Nous sommes assis dans l'herbe fraîche.

Je devrais raconter à Fran ma découverte de l'Amérique, par la porte du Rio Grande, j'avais vingt ans, pas un rond, j'étais heureux.

La révolution était pour demain, il ne fallait surtout pas se sédentariser.

Je devrais lui raconter mes amitiés dans ce pays, mes amours dans ce pays.

Je devrais lui raconter l'odyssée des boat-people à travers les Caraïbes.

Je devrais lui raconter mes États-Unis à moi, ces grands espaces sillonnés interminablement, j'ai grand goût de ces espaces, de ces routes, de ces fleuves et des gens qui les peuplent. Je devrais lui raconter mes haines aussi, des gens qui les peuplent avec haine, ma haine du Ku Klux Klan à Houston, ma haine d'une ville comme Houston.

Je devrais lui raconter mes légendes.

Mon goût des odeurs, les odeurs des villes et les odeurs d'encre, l'odeur du Pacifique en Californie, sur la route à flanc de falaise entre Los Angeles et San Francisco. Et l'odeur de ses cheveux hier.

Et l'odeur de Paris à l'approche de l'hiver.

Je devrais lui raconter mes légendes anciennes et mes légendes nouvelles.

La balle en or avec laquelle le roi Henri Christophe se suicida.

Et j'ai grand goût de cela. On n'a pas le droit de se fracasser le crâne avec n'importe quoi.

Je devrais lui raconter New York, mon appétit physique de cette ville, New York exploré par les pieds, j'avais vingt ans, pas un rond, je passais d'un métier à l'autre, plus tard étudiant à mi-temps en France, vigile de nuit à Manhattan, traversant l'Atlantique deux fois l'an, gagnant ma vie à l'arraché, en rupture ouverte avec une part de ma famille, tramant des lendemains rouges.

J'étais invincible.

Je devrais lui raconter mes potes, ils s'appellent Rimbaud, ils s'appellent Lautréamont, ils s'appellent Proust, ils s'appellent Kafka, ils s'appellent Artaud, ils s'appellent Maïakovski, ou Albert Londres décrivant les vents sibériens. Et le volcan de Malcolm Lowry. La route entre Los Angeles et San Francisco s'appelle Jack Kerouac. Le passage du canal du Vent s'appelle Jacques Stephen Alexis. Il y a un pont sur le Rio Grande que j'ai baptisé Jacques Roumain. Et Saint-Aude est un nom jeté comme un pont par-dessus le fleuve tumultueux du prénom Magloire.

J'aime la vie têtue.
J'aime les défis arrogants.
J'aime les poètes qui ne se rendent pas.

Je devrais lui parler de tout ça, dans l'herbe fraîche, dans les oiseaux, dans le soleil d'hiver. Nous ne parlons pas. Nous prenons le pouvoir des baisers.

Mélanges chinois

Brooklyn, c'est venu comme ça dans sa tête, dans sa bouche, le mot est resté un moment suspendu, dans sa bouche, puis j'entends Brooklyn. La maison de mes parents. Tout de suite après le pont. C'est elle qui donne le rythme. Marque les pauses. S'engage dans les détours. Son initiative ne me soulève pas. Pour parler net, je suis contre. Elle propose qu'on laisse la voiture à Manhattan. Qu'on y aille en métro. Comme elle avait l'habitude de faire. Comme je l'ai toujours fait, elle dit. À quoi sert de remuer ainsi la terre de l'enfance? De rallumer des cendres? Tu es née. Tu as grandi. Tu es partie. C'est tout. Rideau. Ça devrait t'suffire.

Ça m'intéresse pas des masses, je lui dis.

Elle répond à côté. J'entends Montague Street.

J'entends comme dans *Roméo et Juliette* et y'a un endroit sur Montague Street qui s'appelle Capulets les gens ont de l'humour.

Elle tient absolument à passer là. Toute ma vie j'ai vécu là, elle dit. Je vais juste te montrer. Elle rallonge ses pas. Je marche tout à coup à pas plus courts. Elle me prend par la main. Me tire vers son enfance. Grimpe à son arbre généalogique. Elle me dit que son père est de lointaine origine irlandaise. J'entends Brooklyn Union Gas Company. Que ça n'est pas précisément la caractéristique du quartier. Qu'il y a un peu de tout. Même des Chinois. Même des Témoins de Jéhovah. Elle a ajouté ça une note plus haut. Sur un ton ironique. Ils ont une sorte de quartier général pas loin. Des emmerdeurs de première. Elle me tire.

Nous prenons le train A, vers le sud. Train de toutes les aventures, y compris les plus étranges, jadis vers le nord je descendais à Harlem et filais à l'église baptiste de la 115e Rue haut lieu du gospel, vers le sud c'était chez moi, un des nombreux chez moi que j'ai eus, à Brooklyn, des souvenirs déjà rancis dans le déroulement tortueux de ma vie, dans cette espèce de course vers le néant qui ne m'a jamais laissé le temps ni le goût de m'entourer d'objets fixes: des meubles, des toiles, des photographies, des disques, des livres, entreposés, rangés en un lieu où je reviendrais en disant chez moi. Le plus vieux livre de ma bibliothèque ambulante, je veux dire celui que je possède depuis le plus longtemps, est un fétiche, souvenir sauvé d'une perquisition où j'aurais pu laisser ma peau, j'avais eu l'idée astucieuse alors de l'emballer sous plastique comme de la viande et de l'enterrer dans un freezer sous un monceau de givre. Je l'ai gardé comme symbole parfait de l'inacceptable. Il n'y avait aucune commune mesure entre la banalité de cet objet et cette proximité de la mort instaurée par sa présence sur un rayonnage. C'est un livre qui rappelle tout bêtement que l'inacceptable ne doit jamais être accepté. C'est un livre auquel j'ai promis de rester fidèle. Promesse que j'entends bien respecter, d'une manière ou d'une autre, jusqu'au seul inacceptable inévitable, cette putain de point final de toute existence.

Nous descendons à High Street.

Nous marchons dans un parc. Nous traversons une artère. Nous marchons dans une rue. Il y a des chênes et des platanes. J'entends Fran dire que ce sont des chênes à branches longues courants sur la côte est au printemps c'est magnifique. Que ce sont des platanes de Londres. Comme si ces arbres, parmi les plus familiers dans la ville, n'avaient existé que là. Comme si elle tenait à nommer chaque chose. Comme d'annoncer que l'histoire commence, alors qu'on sait parfaitement qu'elle ne commence pas, qu'elle a commencé ailleurs, en un autre temps, en un autre lieu, ou qu'elle n'a jamais commencé, qu'elle ne fait que se poursuivre, qu'elle s'arrêtera ou ne s'arrêtera pas, que de toute façon nous ne serons plus là, mais ça rassure d'arrêter un point quelque part et d'annoncer que l'histoire commence. Nous nous arrêtons devant un platane qui perd son écorce. Nous nous embrassons. Voici notre premier baiser sans passion.

Le chemin jusqu'à la maison, j'aurais envie de l'étirer. Ou qu'il n'existe pas. Qu'elle arrête de tourner ainsi autour de papa. Autour de maman. J'entends tu sais quoi? J'entends il menace d'abattre Bill à coups de fusil s'il se présente chez nous un fusil qu'il n'a pas mais le fantasme est clair. Elle dit encore chez nous. Elle ne se rend pas compte. J'entends je l'ai traité de raciste (cette fois, elle prononce le mot, c'est la première fois qu'elle prononce le mot, c'est vrai que c'est un sale mot, à la manière dont elle le prononce il acquiert quelque chose comme un surcroît de saleté). J'entends tu sais quoi? Il m'a répondu tu sais quoi? C'est pas parce qu'il est noir c'est parce qu'il se drogue. Pffffff. Je suis entrée dans une colère folle. J'ai ramassé quelques affaires et je suis partie.

Se tait.

L'envie de déguerpir. D'en finir avec cette sinistre comédie. Viens on s'en va d'ici ça sert à rien ton truc. Elle me regarde. Un de ces regards vides dont elle a le secret. Puis elle ouvre la bouche. Je m'attends à une déclaration fracassante. Une sentence. Une phrase à épingler dans les annales des rapports familiaux dans l'Amérique de cette fin de siècle. Elle dit après. Après nous irons sur le fleuve. C'est un chouette endroit. Norman Mailer habite par là. Je te montrerai la fenêtre où il écrit.

Se tait.

Si on s'embrassait là tout de suite, ça serait la passion retrouvée. J'aime qu'elle évoque des choses comme ça, quelqu'un qui écrit, un fleuve, et qu'elle dise c'est un chouette endroit. Il faudrait filer vers le fleuve tout de suite. Contourner papa maman Bill. J'entends ils sont pas là. Je réponds tant mieux. C'est l'une de ces habitations en briques rouges construites il y a un siècle, un siècle et demi, et que les Américains considèrent comme vieilles. Une belle maison. D'un côté, elle jouxte une demeure plus imposante qu'elle me dit avoir appartenu à la famille de son tout premier amant. De l'autre côté, il y a un jardin entouré d'un muret. Un grand prunier quelque peu maltraité par l'hiver cache ce qu'elle me dit être *ma* chambre. Elle dit au printemps ses feuilles sont d'un rouge violacé.

Elle ramène tout au printemps. Je ramène tout à mon idée principale : filer d'ici en vitesse, loin de tout ça, vers le fleuve si elle veut. Je lui dis. Vers le fleuve. Elle ne m'entend pas. Je la regarde. Maintenant elle a des yeux de possédée. Ce ne sont pas ses yeux. Je n'aime pas ces yeux.

Elle lâche ça comme un secret. Elle dit j'ai les clés. Quoi ? J'ai les clés. Elle se met à farfouiller dans son sac. J'ai les clés je t'jure. Qu'est-ce que c'est que cette. Pas question. Je la prends pas l'épaule je lui dis Fran regarde-moi. Fran écoute bien ce que je vais t'dire. Comme si je m'étais adressé au mur. Elle ne me regarde pas. Elle ne m'écoute pas. Elle ne m'entend pas. Je secoue son épaule. Je dis pas question j'insiste. Elle dit puisque j'te dis qu'ils sont pas là. Je dis ça change rien à l'affaire. Elle continue à chercher dans son sac.

Elle répète qu'elle a les clés mais pas sur elle.

Tant mieux, je lui dis.

Comment définir mon sentiment? Il y a de la peur, mais ce n'est pas précisément la peur. Je pressens le pire, tout en sachant que ce pire est improbable. Je lui prends le menton dans ma main, tourne sa tête vers moi, je répète, en articulant violemment, en détachant les syllabes: pas-ques-tion. Elle a des gestes somnambuliques. Elle recommence à tripoter dans le fond de son sac. Elle sort un trousseau qu'elle examine rapidement. Pas celles-là, elle dit. Elle me tend le sac. Tiens-moi ça s'il te plaît. Qu'est-ce que tu veux faire? Je répète qu'est-ce. Tu vas voir. Elle est déjà en plein vol. Le pied essaie de s'agripper à un étrier imaginaire. Racle la maçonnerie, elle retombe. En s'élançant de nouveau, elle dit je connais une cachette.

J'inspecte le fond de la rue.

Pas un chat.

Voici mon sentiment. Le père est là dans la maison. Il a toujours été là. N'a jamais attendu que ce moment. Cet après-midi d'hiver où le nègre lui serait amené en holocauste. Que le père ne soit pas physiquement présent, que le père n'ait pas d'arme chez lui, que le quartier lui-même soit l'un des plus sympathiques de New York, ça ne change rien au fond de ce sentiment. Le père est là. Le jour du lynchage est venu. Le nègre paierait d'avoir souillé sa fille. Il paierait de l'avoir entraînée hors de la maison familiale. Il paierait d'avoir mis ses pattes de nègre dans le cercle tracé depuis la naissance autour de la fille blanche comme lys. Il paierait d'avoir noirci l'Amérique. D'avoir incendié l'Amérique. D'avoir pillé l'Amérique. D'avoir saccagé des ghettos. Vidé des magasins. Stoppé des autobus. Lapidé. Violé. Violé ma fille. Ils ont tous violé ma fille.

Fran escaladait le mur.

Elle a maintenant le pied gauche tout en haut. La jambe droite s'envole, en d'autres circonstances j'aurais vu son postérieur somptueux, peut-être même que j'aurais fait une remarque, là je n'en mène pas large, je ne vois rien, et je prends mal qu'elle me nargue, debout, en équilibre sur le mur, elle pousse un cri d'Apache, un you-hou-ou de western qui doit résonner dans tout le quartier, elle est complètement folle, t'es dingue, arrête ton cinoche, tu vs m'faire tuer, t'es frappée, qu'est-ce qui t'prend, Fran, arrête.

Regards à droite.

À gauche.

Personne.

Elle se moque. Et moi, en bas, avec le sac dans la main, et ces fantasmes incontrôlables. Elle se reçoit en souplesse de l'autre côté du mur. M'enjoint de faire pareil. Fais gaffe n'abîme pas trop la place des tulipes au printemps si tu savais. Pas de doute, elle est toc toc.

Et moi aussi, car me voici à mon tour en haut du mur, pensant que n'importe quel flic pourrait m'abattre d'une balle comme un chien, les journaux sont pleins d'histoires de nègres revolverisés sans sommation, dans des circonstances toujours mal élucidées, des lapins sur lesquels faire un carton ne prête nullement à conséquence, et je suis là en haut du mur, saute mais saute. Fran, en bas, crie saute, en pliant les genoux et en les dépliant très vite. Je saute dans le jardin.

Elle court.

Elle dit pourvu qu'elles y soient.

Elle court vers le porche qui donne sur le jardin.

Sur le porche il y a des fauteuils en bois peints en blanc.

Il y a des géraniums roses et rouges dans un bac cylindrique en bois cerclé de fer.

Elle dit ils doivent pas être partis pour longtemps.

Sous le proche il y a une porte.

Elle la pousse. La porte cède dans un raclement aigre.

S'ouvre sur un étroit escalier qui plonge vers le sous-sol.

Elle descend.

Je ne la vois pas, je l'entends actionner quelque chose de métallique.

Elle crie elles sont là.

Elle remonte.

L'escalier. Le porche. La porte. La lumière qui filtre à travers les voilages a le rosé des géraniums. Qui disparaît lorsqu'elle allume l'électricité. Tiens y'a plein de courrier. Elle me parle depuis le living. Je suis dans l'entrée. Mon regard glisse sur une série de photographies en noir et blanc accrochées dans des cadres que je trouve de mauvais goût. Elle vient. J'entends voici papa. Voici maman. Je fais semblant de m'intéresser. Je regarde surtout la toile de fond sur laquelle se détachent ces personnages. La ville de New York.

Ça va t'es contente on s'en va?

On s'en va pas avant que je t'aie montré ma chambre.

Le plancher craque.

L'escalier. La porte blanche avec des taches autour de la poignée. Les strates de son histoire. On pourrait reconstituer sa vie rien qu'en s'enfermant dans cette chambre. Il y a un nounours décousu sous une aisselle posé sur un meuble qu'elle tente d'ouvrir. Les poignées de ce meuble sont deux boules rouges tels des faux nez de clown. Aucun des signes de ce lieu ne me concerne.

Je suis allongé dans son lit, la tête sur le montant de bois verni. Par la fenêtre, je vois le prunier. Elle dit la vache ils ont tout verrouillé.

Elle est en train de forcer la serrure du meuble. Elle dit ça fait un bail la vache.

Se calme.

Vient vers moi, avec ce tressaillement des narines, je dis non, ta gueule elle répond, je dis c'est un viol, l'image tourne, t'as pas grandi, ta gueule, j'entends un bruit, je bondis hors du lit, te frappe pas puisque j't'assure qu'y a personne, je suis debout, je regarde le prunier, elle est allongée, elle fixe quelque chose au plafond en disant s'il te plaît baise-moi, je dis hein? T'as bien compris. Elle se relève comme une flèche, me dépouille de l'anorak, je proteste, me bascule dans le lit, je proteste, me dézippe la braguette, je proteste, plonge la tête, je proteste, ce n'est pas moi qui proteste, c'est mon corps, ma tête, levée d'images.

Le Père, revêtu d'un uniforme de tonton macoute, brandit une machette et un gros pétard. Pan. Ça vous apprendra salopard. Pan. Ça vous apprendra à semer le désordre dans les familles. Pan. Ça vous apprendra à pisser sur les jambes des gardiens de musée. Pan. Ça vous apprendra à insulter les P.-D.G. Pan. Ça vous apprendra à faire jouir nos femmes. Pan. Salopard. Interdit de faire jouir ma fille. Pan. Salopard. Pan. Débandez ou je vous arrête. Pan. Au nom de la Loi débandez. Pan. Moi le Père de cette citoyenne blanche anglo-saxonne protestante des États-Unis d'Amérique je vous ordonne de débander.

Dit comme ça, c'est une blague, au mieux marrante, au pire triviale. À la vérité, ce sont des choses confuses, d'une pesante épaisseur historique, qui ont du mal à s'organiser dans des phrases cristallines. À les dire, on navigue entre la platitude et la vulgarité. Trop de franges d'interférences. Trop. Toujours est-il que le résultat est le même. Le mec en berne. On ne fait pas l'amour avec ça.

Je souris.

Elle demande pourquoi tu souris?

Je lui dis je pense que si jamais j'y arrivais.

Ouais?

Faudrait que tu te mettes dessus.

Ouais?

Au cas où ton papa entrerait.

Elle dit enfoiré.

Puis la porte blanche. Le couloir. L'escalier. Le plancher qui craque dans l'entrée. Les photos de famille. Le living. La porte. Le porche. L'escalier. La cachette. Le jardin. La place des tulipes. Le muret. La rue est une délivrance. Enfant je dérivais volontiers entre mes bouquins dans ma chambre et mes copains dans la rue, je ne crois pas m'être intéressé vraiment à autre chose, c'est encore la rue que je préférais, on pouvait y apporter ses bouquins, avec le ballon le vélo le cerf-volant les billes et les copains, je ne crois pas avoir fondamentalement changé, Jenny a des thèses très pointues là-dessus, il est 15h44.

Le parc. Henry Street, petite rue commerçante pourvue d'un restaurant chinois, d'une boutique de fleurs et fruits, d'un café baptisé *Henry's End*. L'Hudson. Les mouettes. L'eau verdâtre. Les grues. Les chaînes et les cordages battant pavillon de varech. Les remorqueurs et les péniches. La statue de la Liberté dans la baie étincelante.

Nous sommes collés, comme à l'ancre, tanguant doucement dans le vent, Fran plaquée de dos contre moi, mes bras l'enlaçant, l'enserrant, sensation d'euphorie, elle chantonne, elle jazze dans le bonheur, le vertige, je ne sais pas ce qu'elle chante, ça n'a ni queue ni tête, c'est comme une comptine, et les comptines ça n'a pas de sens, c'est juste très musical, nous sommes juste contents d'être là, à regarder l'eau, à regarder le pont de Brooklyn, mastodonte suspendu sur le ciel, à regarder sur l'autre rive du fleuve le bataillon des gratte-ciel que dominent les tours jumelles du World Trade Center, à regarder les mouettes, à écouter les mouettes.

Elle dit *back to Manhattan*.

Pause chez les Chinois. Nous avons faim. Choisir entre les *appetizers*, les soupes, les *chow mein*, les *lo mein*, les *chow fun*, les *egg foo young*, le riz frit, la volaille, le porc ou le bœuf, les crevettes épicées, les crabes ou les homards, les poissons et les salades chinoises, un drame métaphysique c'est ça. L'odeur des mélanges que le vieux Chinois verse dans les énormes poêles noires. La vie qui grésille.

Nous raclons nos fonds de poche, de sac, de porte-monnaie. L'air mauvais de la grosse Chinoise devant la pile de menue ferraille que nous amoncelons au rebord de son tiroir-caisse, qu'elle ramasse sans compter, elle nous lance tout de même un bye bye de routine lorsque nous prenons la direction de la sortie, armés de notre sac en papier brun, absurde destinée d'une poignée de crevettes qui marinent dans une sauce aux pousses de bambou où trempe le bout d'un dépliant blanc recouvert de caractères rouges énumérant les spécialités de la maison, sous le nom inscrit en grand de ladite maison :

SU SU'S YUM YUM

Nous nous installons sur un banc du parc. Sous le ciel qui serait décidément le toit idéal, s'il ne faisait si froid. Une bouchée la température baisse, deux bouchées il est déjà hmmm 16 heures et demie, trois bouchées penser à retirer de l'argent à une distributrice automatique sur Montague Street. Une blonde en survêt et sac à dos entreprend laborieusement de déverrouiller l'antivol de son vélo appuyé contre un arbre. Elle y arrive au moment où deux gosses passent en courant dans l'allée, suivis d'un dogue moche qui les rattrape, puis les dépasse.

Franchir quelques rues.

Changer d'univers.

Montague Street est noire de monde.

Mémés à chiens-chiens emmitouflés de laine. Blacks dansants. Gosses attachés à des laisses. Landaus pimpants. Quotidien tonitruant. Elle me montre l'immeuble de la Brooklyn Union Gas Company, fausse couche architecturale intégrale, elle en convient. Elle ouvre son sac. En tire un rectangle de plastique. Nous entrons dans le sas électronique de la Citibank. Elle introduit la carte dans la machine qui l'avale, la machine qui fait le malin en émettant des bruits prétentieux, et rejette la carte en lâchant son verdict en lettres bleutées. Elle n'a plus un rond. Exit du sas immonde.

Passage du pont de Brooklyn

Le parc.

Traverser la grande allée, vers le sud.

Nous sommes sous la passerelle, Cadman Plaza Est, assemblage de béton et de fer peint à l'antirouille orange. Le tintamarre des bagnoles au-dessus de nos têtes. La double rangée de bandes blanches sur la chaussée indiquant les pistes cyclables, que personne n'emprunte. Le vélo noir de l'écriteau, au sommet de la barre de fer fichée dans le béton, sur le trottoir, est orienté nord, vers Manhattan. Où nous allons.

De sous la passerelle, on voit le pont bleu, Manhattan Bridge, une arcade dressée tel un échafaud géant, et les câbles qui plongent derrière des entrepôts. Et un grand immeuble blanc irradiant la lumière. Et le défilé des bagnoles, sur un triple niveau horizontal, d'ouest en est, d'est en ouest, dans les deux sens. Et le gazon vert qui grimpe de Cadman Plaza à la route à double sens. Et le poste d'incendie rouge dressé au rebord inférieur droit du tableau.

Nous sommes au pied de l'escalier qui monte vers le plan du pont de Brooklyn. Le trottoir est jonché de papiers gras, de vieux gobelets en carton, de bouts de fer strié et de débris de sacs en plastique. Entre deux murs de soutènement en pierre grise, l'escalier à trois paliers file vers un troupeau de nuages en pâture dans le ciel encore bleu. Sur le premier palier, il y a un cycliste avec son vélo sous le bras, qui s'arrête un moment pour souffler, avant de poursuivre l'ascension.

Du dernier palier, on voit les barres d'acier couvertes de reliefs en colimaçon qui sortent verticalement des murs de soutènement inachevés. La piste piétonnière en construction qui conduira vers le pont, Brooklyn Bridge est devant nous, pour l'instant une double trouée ogivale dans une masse de granit réduite, pour la vue, à un rectangle jaunâtre tenu par des câbles blancs. À main gauche, au-dessous de nous, il y a les véhicules qui vont à Brooklyn. À main droite, on va vers Manhattan.

Au fond du tableau, les tours jumelles du World Trade Center, en ouest, et l'immeuble qui irradie le plus de lumière, en est, arbore sur sa façade l'emblème de Bell, la compagnie du téléphone de New York, une cloche stylisée inscrite dans un cercle. Le son du tableau serait celui d'une ruche trafiqué en studio par un mixage buté, une ruche monocorde. L'essaim des automobiles court sur le tablier du pont et le bourdonnement des pneus sur le métal strié monte vers nous tel celui d'une corde qui serait tendue sur la caisse de résonance formée par les éléments du pont, le tablier, les câbles, les arcades, et pincée à une très grande vitesse, sur la même note.

Sur le chantier, il y a des vieilles pompes à eau branchées sur des tuyaux rougeâtres. Des vieux seaux. Des bouteilles. Des rebuts. Nous marchons sur des planches mouillées.

Au sommet d'un immeuble sur la façade duquel on peut lire WATCH TOWER, sont affichées alternativement l'heure (17:06) et la température en degrés Fahrenheit (39°), en pointillé jaune suspendu dans le vide.

À 17h07, un hélicoptère survole la tour.

Sur le chantier, il y a un vieux frigidaire cassé, dont on s'aperçoit en s'approchant qu'il s'agit en fait d'un chalet de nécessité hors d'usage, on voit l'ex-cuvette du lavabo, l'ex-lunette des W.-C., et sur la face interne de la porte ouverte pendent des fils de fer rouillés.

Nous marchons toujours sur des planches mouillées.

SWEENEY MFG. CO.
INDUSTRIAL BUILDINGS
SPACE AVAILABLE

Ce sont, à main droite, les inscriptions étalées sur les façades.

FIRE PLUG

C'est, à main gauche, au bord de la voie, au-dessus d'un robinet tourné vers la chaussée.

Des deux côtés de la piste piétonnière en construction, une enfilade de grillages à ajours rectangulaires, de couleur aluminium.

À présent, nous revoyons le pont bleu, en est. Les ponts de Manhattan et de Brooklyn sont parallèles, nous revoyons tout le pont bleu, survolé par un hélicoptère, un bateau de la Circle Line et un voilier blanc passent sous le pont bleu. À main droite, en ouest, on voit la statue de la Liberté dans la baie, moins scintillante maintenant. Il y a un cargo blanc dans le coin inférieur droit du tableau.

Vibrations continues des planches.

Me tournant, je vois se dresser, derrière l'inscription SMFG.CO, une tour au sommet pyramidal, surmonté d'un drapeau américain. Sur les deux façades visibles de la pyramide, deux horloges rappellent l'heure, il est 17 heures et quart environ.

Et la ruche, sur la même musique, mais de plus en plus fort, assourdissante maintenant, de sorte que je suis obligé d'élever la voix pour parler à Fran. Je dis il est 17 heures et quart il faudrait peut-être se grouiller. Elle répond, élevant elle aussi la voix, elle dit se grouiller pour quoi faire? Je dis faut trouver du fric on n'a plus un rond. Elle ne répond rien.

Nous marchons sur les planches mouillées.

Nous sommes devant un réverbère du pont.

Maintenant nous sommes au-dessus du fleuve. Au-dessus de l'eau verdâtre. Fran dit c'est magnifique, tandis que j'accomplis une rotation sur moi-même, je vois tout le pont bleu, des rames de métro qui filent du nord au sud et inversement, des files de bagnoles qui se déplacent dans toutes les directions, et le profil de l'Empire State Building, et des cheminées d'usines, et le fleuve, et l'immeuble Bell, et les tours jumelles du World Trade Center, et le fleuve, et les câbles blancs, et maintenant je sens le vent, il y a des ballons de baudruche accrochés en grappes multicolores aux câbles blancs, restes de Dieu sait quelle fête, et le fleuve, l'inscription THE PORT AUTHORITY OF NY & NJ au début de la longue rangée d'entrepôts sur la rive sud du fleuve, la Watch Tower, les maisons de Brooklyn, le parc, la tour des horloges, et de nouveau le pont bleu, le fleuve.

Voici la plaque du pont de Brooklyn (ERECTED BY THE CITIES OF NEW YORK AND BROOKLYN. MDCCCLXIX-MDCCCLXXXIII) recouverte d'un texte illisible, les lettres ayant été sévèrement corrodées et, en plus, brouillées par un bombage de graffiti en peinture ciel, également illisible, ou plutôt pas à lire, geste esthétique pur, trace accordée à l'air du temps, trace de geste, pure dépense d'énergie d'un voyou.

La suite est planches du pont sur le passage de l'eau. Les mêmes plans de plus en plus gros ou de plus en plus éloignés, estompés. Des détails se précisent. Des éléments non vus, qui étaient pourtant là, soudain surgissent dans le tableau, telle cette pyramide dorée à droite de l'immeuble Bell. La surprise de ces deux bancs à mi-parcours du pont, pour les faiblards, les contemplatifs assis, les mémés à chiens-chiens, et moi, je m'assieds, le vent, le froid, je me relève tout de suite, Fran dit allons pressons, je lui dis je pensais qu't'étais pas pressée, elle dit ici nous sommes en Amérique on a le droit de changer d'avis, je lui dis Amérique Amérique. Sur la voie de Manhattan, un panneau rappelle qu'il est interdit de se suicider en faisant semblant de changer un pneu crevé en pleine circulation.

La ruche. À la fin du passage de l'eau, l'impression d'un film projeté à l'envers, répétitions, et nous marchant, à l'envers de qui, à l'envers de quoi? Le bourdonnement de la ruche disparaît à présent.

Nous prenons le train numéro six à Brooklyn Bridge.

Arrêt à Canal Street.

Le train ne repart pas.

Mouvement de foule, un flic se presse vers le bout du quai.

Une meute de flics.

Et le bruit.

Les flics se hâtent vers l'escalier.

Au milieu d'eux, il y a une femme noire.

La femme noire porte un pull noir sur une jupe noire.

L'expression de panique sur son visage.

Et le bruit.

La femme noire crie.

Deux flics la tiennent par les bras derrière son dos, elle a les poignets apparemment menottés, mais je ne vois pas les menottes, ça va très vite, j'imagine qu'elle a les poignets menottés. Les flics courent.

La femme noire a les pattes coupées, elle ne tient plus sur ses jambes, elle laisse tomber son corps, elle ne veut pas ou elle ne peut pas marcher, de sorte que les flics la traînent, ses chaussures raclent le béton du quai.

Et son cri, quelque chose comme. Il y a le mot *jail*, prison, elle dit je n'veux pas aller en prison.

Le train numéro six repart.

Un homme nommé Ronald

La voiture.

Nous la retrouvons avec une belle contravention sur le pare-brise. Fran déchire le carton en petits morceaux, qu'elle éparpille dans son dos, d'un geste ample du bras par-dessus l'épaule, comme on balance une pièce de monnaie dans la fontaine de Trévi. C'est elle qui parle de Rome, en consultant la carte de New York afin de trouver le meilleur itinéraire pour retourner à Brooklyn, je lui ai dit que vers Prospect Park, il y a un pote qui me doit de l'argent, qu'il est sûrement chez lui, j'ai passé un coup de fil à Ronald, en effet il était là, tu descends quand tu veux, elle est mignonne ta copine?

À moitié assise, à moitié couchée, de travers sur le siège à côté de moi, les baskets sur le tableau de bord, elle tourne très vite de la main gauche le bouton de la radio, appuie très vite sur les touches de fréquences, sifflant à tel air connu, faisant une moue de dégoût sur une coulée de musak, optant finalement pour une cascade de roucoulements, un horrible espagnolade à la rhubarbe, Julio Iglesias, dont elle dit c'est tellement ringard que ça en devient beau magnifique d'obscénité et puis merde ta gueule macho c'est nul elle passe à une autre station. Elle a croisé ses jambes à la hauteur des chevilles et elle examine ses baskets. Je crois que j'aurais dû piquer quelques affaires chez mes parents je vais pas rester tout le temps comme ça. Ça n'a pas d'importance, je fais.

Du pont de Brooklyn, le fleuve immobile, les cargos, les remorqueurs, les péniches, et quelques mouettes dont elle dit. Faut vraiment être mouette pour rester dans cette ville en plein hiver. Faut vraiment être bête. Elle se prend la tête dans les mains. Pousse un soupir. Elle me raconte cette histoire que je sais déjà, je la laisse raconter, de l'oiseau soviétique qui un jour décida de ne pas migrer vers le sud, la colonie partit sans lui et alors. Et alors elle se prend les pieds dans l'écheveau des trois phrases finales, les plus importantes, sinon l'histoire n'a plus aucun sens, moi non plus je ne les retrouve pas tout de suite, et nous pleurons de rire.

Le pont des Soupirs. C'est elle qui soupire et dit cela, qu'elle soupire. Elle a manifestement plaisir à employer le mot. À le retourner telle une pierre précieuse au soleil. Elle me parle d'un photographe. Et à ce moment, j'avais dans la tête un gag de Pasolini. Ça commençait sur la tombe d'une morte, avec le veuf, leur fils. Ça finissait pareil, au cimetière, devant une autre morte. Entre-temps, celle-ci, sourde et muette, avait glissé en haut du Colisée, sur une peau de banane jetée par des touristes. C'est dans, je crois, *La terre vue de la lune*. Je n'ai jamais vu quelqu'un manger une banane, sans me mettre avec effroi à la place de cette femme qui simulait une tentative de suicide par désespoir et qui a gagné sa mort, par erreur.

Distrait.

C'est fou cette capacité que t'as de décrocher en catastrophe.

Je suis distrait, elle me parle d'un photographe, je pense à un cinéaste, ses images entrent en collision avec les miennes, et je l'écoute pas, et elle ne me parle pas, c'est ainsi, elle parle à côté de moi, j'écoute à côté d'elle, j'entends des mots qu'elle dit, des sons qu'elle émet comme ça, des pont-des-soupirs, des oiseaux, des pas-rester-tout-le-temps-comme-ça, et tout d'un coup je fais attention, qu'elle ne voie pas que je ne l'écoute pas, j'attrape sa voix au passage et je reconstitue l'histoire, j'écoute.

Elle me parle des photos de Joshua H. Beal. Le pont, le fleuve, les tours jumelles du World Trade Center, les cheminées d'usines, les oiseaux, sont derrière nous. Depuis longtemps déjà. Elle continue de me parler de Joshua H. Beal qui vivait Saint Mark's Avenue à Brooklyn et avait son labo sur Beekman Street à Manhattan, et qui photographia la ville du pont de Brooklyn, à un moment où les câbles n'y avaient pas encore été placés, ce qui lui permit d'obtenir, en 1876 tu te rends compte, une vue véritablement panoramique, mais large comme ça tu vois. Les deux mains l'une en face de l'autre, comme si les dimensions de la ville et de la prise photographique pouvaient se projeter dans cette mesure des mains, cette vue de l'espace entre les mains, qu'elle laisse tomber en soupirant. De lassitude. D'accablement. Elle se tait. Toujours à moitié assise, à moitié couchée, sur le siège en oblique, comme moi dans l'avion, entre Paris et New York, elle a les jambes levées, les baskets posés sur le tableau de bord. Elle ne bouge pas. Figée dans l'instant, sans que je puisse décréter si elle souhaite que ça dure ou s'efface.

Ronald est en haut du perron.

Un sac en plastique, en plastique marron, dans la main. Chemise ouverte sur le poitrail, pieds dans des sandales Jésus-Christ. *My God* l'animal ne craint pas le froid. Je lui crie de loin. Mais non Ti-Mâle, crâne-t-il. Ronald appelle tout le monde Ti-Mâle. Tous ses amis du sexe masculin. Je ne l'ai jamais entendu apostropher un copain autrement. Il n'appelle quelqu'un par son prénom ou son nom qu'à la troisième personne. Quand ladite personne n'est pas présente. Là il est bien obligé de se présenter. *Hi* Ronald, il dit. *Hi* Fran, elle répond. Serrement de pinces. Attends-moi Ti-Mâle. Il dégringole l'escalier du perron. Tourne à droite, ouvre une petite barrière en fer, entre dans la courette qui donne directement sur la rue, soulève le couvercle d'une benne cylindrique verte, y dépose son sac et referme. Remonte, en grimpant quatre à quatre les marches.

Plus solide que ce bonhomme, j'attends toujours. Ronald est l'un de ces Haïtiens émigrés aux États-Unis dans les années soixante, avec les premiers effets de la prise du pouvoir à Port-au-Prince par Papa Doc. Il est peintre. Lui dit artiste peintre. Il ne veut pas de confusion. Il fait de la peinture naïve. C'est-à-dire concertée. Faut bien gagner sa croûte, il dit. Des villages très clean. Des marchés abondants. Des cocotiers flamboyants. Des camions baroques. Des *vèvè* vaudou. Des paysannes sexy. Nu assis. Nu couché. Nu au bord de la rivière. Des natures hyper colorées. Ça s'arrache.

Ronald vit sur deux idées. La première : qu'il faut démocratiser la peinture populaire, rendre au peuple ce qui appartient au peuple. La deuxième : qu'il lui faut bien vivre, parce qu'un homme mort ne peut pas faire la révolution. Moyennant quoi, il passe douze à quatorze heures par jour devant son chevalet et arrose d'images, dit-il, le Caïman Étoilé. C'est ainsi qu'il appelle les États-Unis d'une métaphore empruntée à un poète. Sauf que la clientèle arrosée est une population de dupes, trop impécunieux ou trop ignorants des critères esthétiques et de marché, et d'escrocs, qui connaissent et font ledit marché. Entre les deux, la voie est étroite, occupée par une poignée de braves.

Mais derrière ce cynique, il y a un être terriblement humain. Courageux. Dynamique. Agréable à vivre. Et en plus bourré de talent : il suffirait qu'il ait des conditions de travail décentes pour qu'il multiplie comme du pain et du poisson, c'est lui qui parle, les quelques tableaux valables qu'il a effectivement réalisés. Il est le premier à admettre que ces raretés, peintes à distance respectable du business, l'aident au fond à tenir, parce qu'il n'en peut plus de crever de honte.

Cette dictature, notre honte. Il tapait du poing sur la table. Et à des moments, il s'enfonçait la tête dans le pli du coude et fondait en larmes.

J'aime chez lui ce mélange incroyable de contradictions. L'été dernier, j'avais décidé de lui acheter une de ses bonnes toiles, me semble-t-il, un tableau d'une force réelle, une mise à plat des clichés du genre, qui parvient malgré tout à séduire, à bouleverser, un exercice de voltige sans filet, ça se sentait, ça n'avait pas à se justifier, c'était comme ça, voilà, moi Ronald, je souffre, j'ai un talent fou et je vous emmerde. Je lui ai dit 100 dollars, il m'a dit 150, j'étais dans un jour de bonté, l'affaire s'est conclue. Puis je reçois une lettre : il m'explique qu'il regrette de m'avoir vendu cette toile, qu'il veut la garder, qu'il est prêt à m'en payer le double, tatata. J'ai cédé.

Rendu la toile.

Il me reste à récupérer l'argent.

Nous traversons, derrière Ronald, un couloir étouffant. Fran me précède. Elle me fait un petit signe coquin de la main, à hauteur des fesses, sans se retourner. Je tente de lui attraper les doigts, sans succès, elle escamote la main par-devant. Du plafond, au bout d'un fil, pend une ampoule. Elle éclaire chichement une cible gribouillée sur le mur avec rage. Avec des chiffres inscrits dans les cercles concentriques. Au centre, une photo de Baby Doc. Une fléchette jaune citron lui a été plantée entre les yeux.

Passé un réduit à main gauche, dont la porte entrebâillée laisse apercevoir une cuvette de W.C. à la lunette relevée, au-dessus de laquelle trône une affiche de Mao, nous débouchons sur une pièce minuscule. Un lit. Une table couverte de tubes de peinture et de pots de yaourt. Un chevalet. Je peux plus vivre dans cette putain de ville, enchaîne Ronald, je me casse à Miami si je trouve à me loger là-bas je me barre. Regardez. C'est tout noir là-dedans. On dirait un cachot de Fort-Dimanche. Suis obligé de travailler avec la lumière électrique. C'est pas bon ça bon Dieu de bon Dieu.

Suit un chapelet d'insultes en créole à l'adresse du président des États-Unis d'Amérique en personne. *Nèg lèd* (nègre moche). *Tèt chanmot* (tête d'escalier). *Foskouch makak* (fausse couche de macaque). *Tèt mato* (tête de marteau). *Lespri kokobé* (handicapé mental). *Sansi* (sangsue). *Prézidan maklouklou* (hernie de président). Fran ne saisit pas les détails. J'ai vaguement compris, me dira-t-elle plus tard, qu'il en voulait au monde entier.

Elle est assise sur le lit. Je suis debout, légèrement appuyé contre la table. Ronald va fermer la fenêtre. Il fait une chaleur d'enfer ici je suis obligé d'ouvrir de temps à autre et alors tout de suite il fait froid je préfère ça de toute façon je me taille bientôt vive la Floride le chevalet sous les palétuviers les palmiers l'air des Caraïbes. C'est ce qu'on peut appeler un nègre bien campé, de taille moyenne, le visage balafré, marque d'une bagarre dans un bordel de Port-au-Prince, épisode de sa vie qu'il aime bien raconter, il y cassa la gueule d'un tonton macoute qui lui avait manqué d'égards, à la suite de quoi il dut prendre le large pour éviter d'être emprisonné.

Bon, je lui lance, si on passait aux choses sérieuses ? Ouais, il fait, en coulant un œil vicieux vers Fran. Tu m'dois du fric tu t'souviens ?

Retour à Manhattan

Tu veux qu'je te dise ? Ouais. Eh bien tu t'es fait entuber. Comment ça ? Eh bien ton tableau ? Ouais. Eh bien ton tableau il l'a plus. Comment ça il l'a plus tu l'as pas vu c'est tout il doit y avoir des cachettes chez lui je sais pas tu voulais le voir fallait le dire. Pffffff si ça se trouve c'était une merde. Comment ça c'était une merde puisque j'te dis qu'c'était ma toile préférée une œuvre forte je t'assure *something very strong*. Pffffff.

Elle faisait pffffff, l'une des choses que je dois le plus difficilement supporter, et là, voilà, ça ne provoquait rien de négatif chez moi, je la trouvais même très bien lorsqu'elle faisait pffffff. Il y a des gestes et des formules qui ont le don de me hérisser automatiquement, comme de dire fromage *ou* dessert dans un restaurant en France, le plus vilain emploi du *ou* dans la langue française, à ma connaissance, ou comme de faire pffffff en gonflant les joues et en évacuant l'air bruyamment.

Et là, voilà, croyez-moi si vous voulez, elle pouvait faire ou dire tout ça, j'étais ravi.

Soit donc un homme amoureux, au volant d'une Chevrolet bleu nuit, à côté de la plus belle fille du monde avec 150 dollars dans la poche, roulant vers Manhattan, en sifflotant *Take me to your heaven*, il est 19h07 sur le réveil du tableau de bord, le niveau d'essence est bon, j'ai la pêche, elle se met à siffloter avec moi en sautant sur le siège telle une gamine sur un lit à ressorts, *Take me*, de quoi griller un feu rouge, ce que je fais. C'est dans les manuels des codes de la route qu'on a des ennuis lorsqu'on grille un feu rouge.

J'esquive de justesse la Volvo deux-portes crème qui venait à notre droite, le temps de deviner la seconde de panique de Fran qui retient un cri de la main, un waaouuh étouffé, tandis que le conducteur de la Volvo y va d'un coup de klaxon affolé, Fran la main droite sur la bouche, les yeux exorbités, la main gauche m'étreignant le genou droit, l'étouffement du cri, la voiture qui venait derrière nous elle aussi klaxonnant, moi réveillé, pensant surtout pas ça, pas maintenant, tout sauf ça, ou sans doute ne pensé-je à rien, appuyant sur la pédale d'accélération, le regard multiplié, la Volvo à ma droite, l'autre derrière dans le rétro, et devant nous un motard que j'évite en braquant à gauche, puis je ralentis, et Fran t'es dément t'es, ça va j'ai dit ça va aller j'ai pas vu les feux.

T'as d'la chance.

On va garer cette caisse Fran. On a des jambes.

Dans le lacis des rues du Village.

La 9e c'est où déjà?

Continuez à zigzaguer c'est droit devant vous.

On se perd, on se retrouve, la nuit est vite tombée, on ne l'a pas vue venir. Tu te perds dans ton propre quartier? Oh tu sais. Bon où on va? Nous tirer d'ici sinon on va tomber sur Bill. T'inquiète pas c'est notre jour de chance. Je sens que ça va pas durer. Elle se traîne. Elle boude, qu'est-ce qu'on va faire? À l'angle de la Première Avenue et de la 1re Rue, il y a un restaurant qui s'appelle *The Pig*. Pas d'allusion cochonne, je dis, spirituel. Pffffff. Tu penses qu'à ça t'es un obsédé sexuel ma parole.

L'impression d'une partie d'échecs où chaque pion avancé doit anéantir le coup précédent et favoriser la réussite de ce qui vient. Ou l'échec. T'es entrée dans une dynamique d'échecs, je lui dis, tu m'aimes plus. Elle ne répond pas. Elle se détourne de l'échiquier. Stratégie de l'araignée, marcher de traviole, regarder dans un sens différent du sens de la marche, tisser sa toile, attirer le mâle, le séduire, s'offrir à lui dans la capture et le tuer. J'ai des pensées sinistres. Peut-être qu'elle le sent.

Pourquoi on est venu garer la voiture juste où il fallait pas? C'est elle qui parle. Et c'est elle qui avait proposé l'East Village. Sous prétexte qu'elle y connaissait les bonnes places de parking gratuites, où les flics ne viendraient pas, où Bill n'avait aucune chance de se trouver, où c'était facile après de marcher, de trouver un lieu sympa. Et là, voilà, c'est à moi qu'elle demande pourquoi. T'es tarée, je lui dis. T'aimes pas les.

C'est elle qui dit. T'aimes pas les Noirs c'est ça que tu veux dire? Elle s'emporte, elle s'arrête de marcher, se tourne enfin vers moi, imaginez le grand Noir avec un immense anorak rouge et la petite Blanche en pantalon de survêt et baskets, debout sur un trottoir de l'avenue A, à l'est de Greenwich Village, face à face, elle gueulant pas-les-Noirs se lançant dans une longue tirade où je crois comprendre son goût pour les artistes et pour les Noirs, j'attends la suite, qu'ils dansent mieux que tout le monde, baisent mieux que tout le monde, qu'ils l'ont plus grosse, plus longue et qu'ils savent s'en servir, le sens du rythme dans la peau, les racines, l'Afrique, la démarche élastique et sûre, l'âme au-dessous de la ceinture, la spontanéité, la jungle, l'odeur de la jungle à fleur de peau, elle devient rouge de colère, en gueulant pas-les-Noirs-c'est-ça, mais t'es fou, je vis avec Bill depuis, t'es malade, t'as failli nous tuer en bagnole et maintenant tu racontes que des conneries, elle fait le geste de me balancer un coup de sac à main, mollement, faisant tournoyer le sac vaguement dans ma direction, en l'air, imaginez ça, dans la rue, la nuit est tombée, nous sommes sur un bout de trottoir, baignant dans un néon blafard, et y'a des gens qui passent à côté de nous sans oser regarder, et d'autres qui font un détour pour éviter les cinglés, et elle *you're silly, you're sick, you're.*

Nous ne poussons plus des pions. Des bouchons, de plus en plus loin. Pas faite pour ce genre d'homme, je lui dis. Et que depuis ta naissance t'as été programmée. Vas-y vis ta vie d'ordinateur. Ose la vivre. Vas-y vers ton destin. T'as été programmée pour épouser un homme blanc un homme riche un homme sportif qui court dix miles tous les jours autour de Central Park oh pas un réac mais un démocrate un mec qu'ose pas voter Reagan mais c'est comme s'il y était en plein dans Reagan cette hernie de président c'est Ronald qu'a raison, je lui dis. Nous crions tous les deux, en même temps, là, debout, elle de plus en plus agitée, faisant des gestes sans logique, proférant des mots sans bon sens, et moi. Un mec vaguement intello un de ces gens qui pètent et font de l'art et qui te fera dix-sept gosses dont onze voteront républicain rien que pour vous faire chier les parents et les six autres finiront qui à Wall Street qui dans une dictature pourrie de l'Amérique latine au fin fond d'une ambassade américaine à faire chier le monde à piller à torturer à espionner les révolutions. T'as été programmée pour ce désastre-là ma chérie mais regarde-toi regarde-toi bon sang.

À un certain moment, les mots sont nuls et non avenus. Il n'y a pas de mots. Il n'y a jamais eu de mots. Que des ouragans. Des cyclones. Des catastrophes naturelles qu'on appelle des êtres humains et qui se sont toujours foutus sur la gueule, sur un bout de trottoir, sous un bout de ciel nuageux, bouché, dans le froid, des corps dressés face à face et qui trament dans les hurlements la mort de l'autre, elle hurle, je hurle, et le pire c'est que ça fait du bien, c'était trop beau pour être vrai, finie notre histoire d'amour et d'aventures, il n'y a plus d'amour possible, l'aventure ça sera pour demain, avec d'autres, ou sans doute n'y aura-t-il jamais d'amour ni d'aventures, terminé, tout est terminé.

C'est elle qui dit. Tout est terminé. C'est fini. Et elle tombe littéralement par terre. Elle est accroupie, le sac à main par terre, dans une flaque d'eau, la tête renversée contre le mur, elle a une main entre la tête et le mur, l'autre posée sur le sol, larguée sur le sol, dans l'eau, elle a le corps entier largué, agité de soubresauts, et je vais lui balancer une ultime vacherie, quelque chose comme tu peux crever, et m'en aller, la laisser là, avec son histoire dont je ne comprenais pas la première lettre du premier mot, la première trace, et elle pleurait, et j'étais debout, c'est samedi soir, jour de fièvre, je lève la tête, nous sommes devant les *Pyramides*, une boîte à la mode, sur l'avenue A, et tout est terminé, et elle chialait, et j'étais là, devant cette terreur, elle chialait, et je ne savais pas quoi faire.

Je ne saurai jamais quoi faire devant quelqu'un qui pleure.

Mike est un cœur.

Il sait tout réparer. L'évier qui fuit, il est sous l'évier. Fran, les paupières gonflées, et moi aussi. Nous avons les yeux rouges. J'ai trouvé une paire de lunettes noires dans un tiroir chez Mike et je les porte. Je vois mal. J'ai le sourire incomparable des myopes, cette gentillesse adressée à la cantonade, à une forme humaine quelconque, vue de loin. Je suis né myope, comme d'autres naissent égaux. Je fais des plaisanteries qui ne dérident pas Fran. Je m'enfonce dans des blagues. Mike est sous l'évier. Il a mis une sortie de bain et il a la tête sous l'évier, une clé anglaise dont on entend les krak krak krak, je lui dis qu'il n'est pas né manuel. Que voilà je lui ai emmené la femme de sa vie. Je ne sais pas si Fran sourit ou pas.

Elle ne dit rien.

J'avais fait l'effort de la consoler. J'avais même chialé. Et fallait pas m'en demander plus. J'étais odieux. C'est-à-dire que je m'efforçais de la faire rire avec des choses prises au hasard comme ça. Je suis sincère, j'essaie de l'amuser. Elle a fait l'effort de venir ici, alors que ni elle ni moi n'avions envie de rien. Elle ne pouvait rentrer chez Bill. C'est elle qui disait chez Bill. Je disais chez Bill et toi. *At your place.* Souvent la langue ne fait pas de cadeau. Elle rectifiait *At Bill's.* Ajoutant que Bill, c'est fini. Tout est fini. Elle a quand même fini par venir ici. Tu vas voir, Mike est un type formidable.

Elle n'avait pas émis de commentaire.

On avait pris le métro.

Columbus Avenue, nous nous sommes arrêtés au *Museum Café*. Avons commandé, elle un thé, moi un café. La dernière fois qu'elle était venue dans ce troquet, c'était la veille du Thanksgiving Day. Y'avait plein de monde. On avait bloqué une partie de la rue latérale, et la place du musée. Et on gonflait à l'hélium les ballons de la parade du lendemain. Y'avait Mickey Mouse, Donald Duck, Superman, toutes les figures mythologiques de l'Amérique. C'était des ballons de la hauteur d'un immeuble, étalés à plat sur la chaussée, et y'avait les camions-citernes, les ouvriers en tenue de cosmonautes qui naviguaient entre les lances à gaz et les trous des ballons. Fallait que tout soit gonflé dans la nuit. Les badauds, assemblés dans le périmètre délimité par les cordes et les barricades de fer, ne facilitaient pas la tâche. Mais c'est une tradition, ils avaient le droit d'être là. Et ils applaudissaient quand les ballons se gonflaient. Chahutaient quand ça se dégonflait. Le cirque c'était. Et le cirque le lendemain avec les majorettes venues de partout, les chars, les flonflons, les ballons dressés vers le ciel, les caméras de la télé, les grandes bouffes en famille. Depuis que je vis avec Bill je ne vais plus au repas de Thanksgiving chez mes parents. Ni nulle part. Pas que j'aime pas. Elle réussissait à sauver nos faces. Elle était merveilleuse. Et je savais toujours pas quoi faire.

Chez Mike, ça va mieux.

Tandis qu'il s'affaire sous l'évier, je raconte l'histoire, qu'elle sait déjà, elle me laisse raconter, du mec qui réparait une fuite d'eau, et y'a un chat qui vient et lui griffe les couilles qui pendulaient, et le mec se relève brusquement, se cogne l'occiput contre la tuyauterie, et on appelle l'ambulance, les infirmiers ramassent le mec à la couille déchiquetée et au crâne fracassé, et ils prennent l'escalier, et dans l'escalier y'a l'infirmier devant qui demande à l'infirmier derrière qu'est-ce qui s'est passé, et l'infirmier derrière dit ce qui s'est passé, et l'infirmier devant éclate de rire, se tord, plié, il laisse tomber le brancard et le mec sur le brancard tombe, dégringole l'escalier, se casse une jambe.

Et là elle rigole.

Elle vient vers moi. Je suis à califourchon sur une chaise de la cuisine, un chef-d'œuvre en péril pour lequel Mike cherche un vannier depuis l'an 1000 avant J.-C., elle vient vers moi. Elle ôte mon binocle de détective. J'aime pas te voir avec ça. Je vois pas tes yeux. Dans l'état où ils sont, je lui dis. Elle me bécote. Cette douceur. Elle me caresse la nuque longuement. Un perroquet, je suis. Un morceau de patate douce dans le bec. Je fonds.

Mike disait rien. Il a fallu que la chaise crisse de tous ses os pour qu'il s'exprime. Ho là cassez pas les gars fragile. Mike s'était levé, avec sa clé anglaise, sa sortie de bain en éponge qui bâillait et il regardait Fran. Je t'ai trouvé une femme, j'ai dit. Il a baissé les yeux. Et tout ce qu'il a trouvé à pondre, c'est. Arrêtez vos cochonneries. Si je vous gêne dites-le. Justement, j'ai dit, attrapant la balle au vol. Je pensais à ce qu'il avait appris en classe, cette maxime formidable dont les écoliers américains ont été gavés comme des canards de

Thanksgiving. On leur demandait TO KEEP THE EYES ON THE BALL. Les yeux sur la balle.

Il a posé son outil sur le formica. A quitté la pièce. Puis nous avons entendu un waaaaaash dans la salle de bains.

21h47.

Mike revient.

Tu pars demain n'est-ce pas? On va faire une fête pour toi.

Éloge des mélanges

J'étais presque arrivé à oublier Jenny. Entre l'arrivée à New York, mercredi minuit, et ce samedi soir, l'enchaînement des faits m'aura précipité une nouvelle fois dans un engrenage que je croyais appartenir au passé. Aux médias de masse, les romanciers racontent volontiers d'un personnage qu'il leur a échappé, c'est une paresse ou une ruse. Dans la vie, c'est l'amour qui vous tombe dessus et disperse les cartes que vous aviez commencé à rassembler pour gagner la partie contre lui. Mon amour pour Jenny me perdra.

Je suis un joueur trop lent. L'accord avec Fran était presque parfait. Elle est belle, intelligente, sensible et sensuelle. Dix mille petites annonces dans *Libé* ou le *Village Voice* n'auraient sans doute pas fait surgir une telle créature. Mais je vous l'ai déjà dit, Jenny m'a jeté un sort. Qu'on me désenvoûte. Qu'on me désensorcelle. Être avec Fran si disponible et penser à Jenny qui doit filer le parfait amour avec John, c'est le comble.

Nous sommes comme ces animaux enfermés dans les limites d'un appartement et qui passent leur temps à réclamer qu'on leur ouvre. La bête est dans le living, elle demande qu'on lui ouvre la porte de la cuisine. Deux secondes après, elle veut retourner dans le living. Plus tard, elle voudra sortir dans la rue. Trois minutes après, elle veut rentrer dans l'appartement. Son besoin d'espace est impérieux. C'est le cloisonnement de l'espace qui pèse. Les murs, les portes, les lourdes comme ils disent.

Nous serons toujours du mauvais côté d'un mur, du mauvais côté d'une porte, du mauvais côté d'une frontière. Notre soif d'espace est trop grande. Nous sommes nés trop tôt ou trop tard. Nous ne sommes pas nés. Nous essayons de naître. Nous ne naîtrons sans doute jamais. À d'autres, je passe.

Quand Mike dit qu'on va faire une fête, cela signifie qu'il est vraiment malheureux. Quand il joint à cette parole le geste d'ouvrir un placard et de sortir une bouteille de vodka, cela veut dire qu'il sera tellement ivre qu'il n'y aura pas de fête, pas pour lui. Comme son endurance est au-dessus du commun, entre le moment où il attrape la bouteille et le moment où il va s'écrouler, il aura le temps de jeter quelques vérités pénibles sur lesquelles, si on veut faire la fête, il convient de se taire. Depuis jeudi, je tente de la semer. Il sait que si on commence à jouer à qui aura le plus de griefs à balancer au monde, je risque de gagner. Je préfère perdre le sens de cette amère victoire.

Fran a eu la malencontreuse idée de sortir de la bibliothèque, dans la chambre de Mike, ses trois livres publiés jusqu'ici. Elle voulait lire ce qu'il écrit. Ce n'était pas le moment. Mike démarre au quart de tour. Mon nom est dessus mais ça veut rien dire. Un temps. Je dis Mike commence pas. Il dit tu vas pas t'y mettre toi aussi. Toutes les conditions sont réunies pour que nous devenions des lâches. C'est baisse l'échine ou crève. Entre les termes à éviter et les moules de dialogue carrés à respecter. Je pense tiens je vous en foutrai moi des dialogues.

Pas la peine d'intervenir quand Mike est lancé. Entre les représentations dont il faut faire son deuil et les situations narratives souhaitables, c'est à un espéranto qu'ils visent. Une variété de pipis de chat. Pipi de chat à la vitamine C. Pipi de chat basse calorie. Pipi de chat avec colorant. Pipi de chat sans colorant. D'un côté tout le monde est d'accord pour l'écrivain témoin de son temps. De l'autre côté il faudrait établir un listing de ce qui est recevable et des formes de ce qui est recevable.

Mike dit qu'il voit ses amis tomber un à un. Il faudrait encore croire au héros pour pouvoir résister. Nous ne croyons plus au héros. Les plus vicelards c'est encore les anciens camarades de campus. Ils ont encore à la bouche le discours de la libération plus ou moins actualisé. Ils ont accédé progressivement à des positions stratégiques. Ils ont les moyens de te baiser la gueule. La seule façon de ne pas avoir affaire à eux serait d'être eux.

Tu en baves. Tu regrettes les bons vieux réacs classiques. Là où les choses avaient l'avantage de la clarté. Les nouveaux sont plus méchants. Ils ont cette méchanceté décuplée par la honte d'avoir trahi. Ils consacrent une partie de leur temps à guetter le moindre de tes faux pas. Là où les vieilles peaux t'ignoraient les nouveaux te connaissent. C'est ton premier point faible. Le deuxième c'est que t'as beau te forcer t'as même pas envie d'être méchant.

Je dis à Mike qu'en France les choses ne sont pas forcément meilleures. Mais il est du mauvais côté de sa frontière. Et il a déjà ingurgité trop de vodka. C'est vrai qu'en France personne ne me reproche de faire des dialogues pas possibles. Personne ne m'a jamais dit que l'expression *baiser la gueule*, ça vous fait perdre tant de lecteurs. Personne ne m'a jamais reproché d'être né fâché. L'expression est de la grand-mère de Jenny, toi tu es né fâché, elle dit. Mais c'est vrai aussi que les États-Unis ont produit et produisent quantité d'écritures novatrices. Que tout ici n'est pas aussi clos que Mike le prétend. Que la disproportion entre l'investissement de vie qu'on entreprend dans un travail et sa dérisoire destinée sur un marché est de toute façon à se taper la tête contre un mur.

Le miracle est qu'après cette tirade implacable, demain il va se remettre à sa table et s'adonner à cette activité absurde qui consiste à faire des traces sur un papier, à se faire son petit cinéma intérieur et à projeter tout ça sur grand écran comme s'il s'agissait pour l'humanité entière d'une affaire de vie ou de mort. Il faut être plus mégalo que la statue de la Liberté pour avoir ce culot une vie durant. Et nous savons mal vivre en même temps.

Une fête, c'est autrement concret. Je rappelle à Mike qu'on n'est pas là pour un colloque, mais pour une fête. Il dit hein? Tu as proposé une fête. Si je ne le secoue pas, il va s'avachir dans le canapé et *adios a la fiesta*. Fran a déposé les trois bouquins sur la moquette. Elle a de brefs passages de tristesse dans le regard. Je regrette d'avoir été aussi vache tout à l'heure dans l'East Village. Mais j'ai une sainte horreur des négrophiles. Qu'on m'aime ou me déteste en tant que Noir, ça me fout en rogne. Qu'on m'aime pour mon talent ou qu'on me déteste parce que je suis un con, d'accord. Pas de cadeau pour ma couleur. Ça cache généralement trop de choses inavouables. J'ai la malchance d'avoir grandi dans une idéologie de glorification de la race noire qui se compte en centaines de milliers de cadavres. Le premier qui profane la mémoire de ces cadavres en les retournant pour une vérification d'identité, je lui crache dans la gueule.

Bien sûr Fran ne peut pas savoir. Tout à l'heure, chez Ronald, j'ai compris à quel point une Américaine comme elle peut ignorer une histoire si proche géographiquement et si contemporaine. Tout se passe comme si chacun des épisodes de l'aventure avec Fran ramenait inévitablement à Jenny. Avec Jenny, même lorsqu'on a pu avoir des engueulades monstrueuses, ça ne s'est jamais joué sur des thèmes aussi mesquins. Entre sa Pologne à la fois enfouie et à fleur de peau et ses kids du Bronx, Jenny est la reine des mélanges. Et voilà, c'est reparti.

J'appelle Mike. Je rappelle la fête.

La suite est dépense d'énergie pour la fête. Décision de récupérer la bagnole. Fran ne veut pas retourner dans son quartier. Parce que Bill. Parce que tout à l'heure. D'accord fais ce que tu veux. Elle veut aller acheter des trucs. Mike s'occupe des boissons. Je m'occupe de la bouffe. Corvée téléphonique. J'invite Ronald qui dit oui. Mike veut faire des mélanges comme on en voit peu à New York où les gens ont tendance à s'enfermer dans leurs ghettos. Le jour où je serais pas d'accord pour les mélanges. Quand je mourrai, que ce soit de rire ou de colère, je suis sûr que ça sera d'un mélange.

Dans la bagnole, je récupère mes lunettes noires qui sont à la fois de vue et de gangster.

La fête chez Mike

Il y avait là, parmi les invités, plusieurs personnes que je connaissais et d'autres que Mike avait promis de me présenter. Parmi lesquelles une astrologue, une grande fille blonde qui portait un bustier pigeonnant sur une jupe qui n'attendait qu'un coup de vent sur une bouche d'aération pour me refaire la célèbre scène de Marilyn. Elle s'appelait d'ailleurs Marilyn. J'ai su qu'elle était astrologue par Mike. *Hi* Ferdinand voilà Marilyn ma copine astrologue. *Hi* Ferdinand t'es de quel signe ?, attaqua-t-elle, en m'adressant son sourire Chanel numéro 5. Je lui ai tendu la main, m'inclinant légèrement, et à ce moment j'ai pensé que j'étais en train d'imiter moi aussi quelqu'un d'autre, l'affaire d'une fraction de seconde, et j'ai souri, en coulant un regard complice vers Fran qui était debout derrière elle, engagée dans une conversation apparemment passionnante avec un jeune homme au nœud pap rose Schiaparelli, et Marilyn a dû croire que mon sourire lui rendait le sien, elle m'a rejoué. Balance, j'ai fait, ascendant Verseau. Elle ne m'a plus jamais adressé la parole de la soirée.

Un type, dont la cravate fluorescente représentait le clavier d'un piano, qu'on me présenta comme musicien – il a joué en France à deux reprises, une fois à l'invitation du syndicat d'initiative d'une ville d'eaux, à l'occasion du jumelage de ladite ville avec je ne sais plus quelle autre ville dont il se prétendit originaire (par son arrière-grand-père maternel), et une autre fois à une partie privée –, me parla de vitamines. J'ai cru comprendre que sa résistance aux agressions urbaines était due essentiellement à une cure d'acide ascorbique, de pantothénate de calcium, de glycérophosphate de magnésium et d'autres substances indispensables au bon équilibre du cerveau, que je n'eus guère le temps de noter, puisque à cet instant précis, au moment où j'allais m'inquiéter de savoir si tout ça ne finissait pas par provoquer une certaine comment dirais-je coloration des urines, mon regard est tombé sur une porte où l'on avait scotché un écriteau avec une flèche : PEOPLE, et justement.

Mon verre dans la main, me faufilant non sans élégance j'imagine entre d'autres porteurs de verres, les tympans emplis à en craquer de tam-tams, où je reconnus la griffe du fabuleux Kip Hanrahan, je me retrouve nez à nez avec Franz Kafka. Un étudiant de Columbia University qui, à force d'avoir travaillé sur sa thèse intitulée je crois *Kafka ou la ressemblance*, avait fini par ressembler à l'écrivain praguois jusque dans la forme des oreilles. J'ai failli lui demander des nouvelles de Joseph K., mais tandis que j'ouvrais la bouche, je n'ai plus trouvé la chose drôle du tout et je me suis ravisé.

L'éclat de rire derrière moi, c'était Fran. Elle me fit une remarque sur Kafka dont je ne me souviens plus, sinon que c'était très drôle et que je me suis mis à rire. On m'aurait présenté un doigt levé que j'aurais ri. Je l'ai prise dans mes bras, en faisant attention à ce que nos verres ne se renversent pas et je lui ai chuchoté à l'oreille une quelconque cochonnerie dont elle fut scandalisée. Et nous nous sommes mis à danser. À la fin tout le monde dansait. Tout le monde parlait en même temps.

Un moment j'ai perdu Fran de vue et je l'ai cherchée et

> (bruits de voix derrière la porte entrouverte) toujours pensé que le suicide sera la conclusion logique de ma vie *it's just a feeling* pas encore trouvé une seule raison valable de me ne serait-ce qu'en pensant à une seule personne à qui ma mort ferait plaisir choisir la vie *I assume that life...* c'est ce qu'on a encore inventé de mieux on ne sait pas qui ni quoi ni comment *anyway...* la vie c'est très bon même quand on en bave toute une vie à être courageux beaucoup trop pour raccrocher les gants c'est un terme de boxeur ça là n'est pas mon problème Fran

j'ai fini par la retrouver dans cette pièce qui était la chambre de Mike. Il y avait sur le lit une montagne de vestes, manteaux, parkas, écharpes, posés là comme à un marché aux puces, Kafka et elle s'étaient assis dessus et discutaient de ressemblance. J'ai dû lancer une ou deux phrases sans intérêt. J'étais fasciné par ce désordre de lieux, d'années qui se télescopaient en une nuit dans un lit. La chambre de Mike était devenue un véritable musée de l'imaginaire moderne. Bogart y croisait James Bond sous Tintin. La grande cape de Superman recouvrait le blouson d'Eddie Murphy et j'aurais juré que Colombo était parmi nous.

Je me suis éclipsé pour aller remplir mon verre. Il n'y avait que de la vodka, ainsi l'avait décidé Mike, et aussi que le premier qui sortirait un joint serait foutu à la porte. Je n'ai pas très bien compris cette discrimination, car la coke n'était pas interdite. Dans le réseau de codes, de tabous et d'accords implicites sur un certain nombre de choses, je ne connaissais que le chemin de la vodka. Mon seul problème était que, malgré mes excès, je n'arrivais pas à me soûler.

Or moi, entrant chez Mike, je n'avais pas bu une seule goutte et j'étais bourré. De la vie. De cette histoire sans lendemain avec Fran. De tout. Et là, maintenant, j'étais bien. Le monde me paraissait vivable. La gentillesse généralisée d'une fête me semble constituer un contrat social appréciable.

La bêtise commune, l'espace d'une demi-nuit, me semble acceptable. Et Dieu sait que la densité de bêtise au mètre carré était relativement élevée ce soir-là.

À commencer par la mienne.

La jungle était peuplée. Toutes races, toutes classes, tous sexes confondus. Peuplée de rêveurs, de pêcheurs de lune, de singes hurleurs, tout une faune cosmopolite, frappée, qui baragouinait au moins deux langues en plus de la maternelle, qui était née du bon ou du mauvais côté du pouvoir et des barrières sociales et de toute façon s'en foutait, suicidaire ou accrochée comme des morpions à la vie, crispée sur des désirs élémentaires de bonheur, lucide ou aveugle sur les limites de l'Amérique, solidaire du Nicaragua révolutionnaire juste pour penser à côté de papa maman ou sachant à peine situer le Nicaragua sur une carte, jeunesse d'entre dix-sept et cinquante ans ou pas d'âge, naufragés de tous les rêves, rescapés de tous les cauchemars, mélangeurs de tout et de rien du tout, révolutionnaires sans cause et apolitiques redoutablement subversifs, innocents et coupables de rien, hommes lesbiens et femmes pédés, hétéromachos féministes et sectateurs du culte de la chasteté au service du travail, artistes sans œuvre et gymnastes du vertige, fossoyeurs d'un abîme à venir où je vois heureusement le tombeau d'une certaine Amérique, dans l'utopie provisoire de la fête chez Mike.

Peu de donneurs de leçons.

On n'est pas sérieux à 2 heures du matin.

Un Français court sur pattes, sec, qui gardait sur lui un gilet matelassé californien avait, expliquait-il derrière sa moustache, balisé un champ sémantique, et pour le moment m'ensemençait de postillons dont je m'abritais sous une ombrelle imaginaire, la main levée. Tout à l'heure, il s'était enquis de mon origine, à quoi je lui avais répondu que j'étais d'Haïti, lui me répliquant que oui Tahiti ça l'interpellait au niveau de la quéquette, une oiselle sans étiquette connue qui passait par là rectifiant *ho yes Hawaii*, avant que nous ayons pu identifier l'objet volant à présent les bras ouverts telles des ailes d'ange sur l'air de *Baby I need you*.

Figure d'un dingue d'ordinateur et d'électronique. Un pittoresque barbu poivre et sel. Qui me demande alors Ferdinand tu écris sur IBM ou sur MacIntosh? Sur Clairefontaine je lui dis, Clairefontaine 11 × 17 cm, avec des accessoires Montblanc sur option, et encre noire Parker. Il me regarde avec cet air à la fois étonné, attristé et perplexe qu'on adopte devant quelqu'un qui vient de vous sortir une phrase dont vous vous demandez si elle appartient encore à ce monde-ci ou à l'autre, le continent noir des délires camisolables. Il me répond *well* c'est une affaire de choix je comprends.

Quelqu'un, qui ressemblait à un Japonais, parla du complexe de Peter Pan.

Dans le brouhaha, des bribes de mots, des débris de narrations. Quelqu'un me parla du *Vertical Club*, à l'est de la 61e Rue, au niveau de la Deuxième Avenue, club de forme disco, aérobic, gonflette, électronique, compteur de dépense en calories sur les cycles, lieu de rencontres, Noah, McEnroe, Connors, Diana Ross, Raquel Welch, on s'éclate, après cigarettes, alcool, bouffe, sur le *roof*, le *sun deck*, on parle voitures en buvant de la bière, on parle tennis et squash en n'en faisant pas, on court dans sa tête, on piste de jogging dans la langue, on tapis vert nature, on fanion d'encouragement, on clientèle middle class aisée, on dominante blanche, un peu de vodka? *Yes I said.* Quelqu'un encore. *Just another man.* Je ne comprends pas ce que tu veux dire par je t'aime. Moi je donne de mes nouvelles à travers mes livres. C'était comme je ne sais plus quel fromage. Il lui manquait une légère dose de pourriture pour être parfait. J'en ai ma claque d'avoir affaire à des gens dont je me méfie. L'autarcie de la faim il en est encore à causer comme dans les années tu t'souviens lorsque. Quelqu'un parla de pêche je ne sais pas à propos de quoi et j'ai répliqué par une phrase historique comme quoi, déclamé-je, malgré les commodités du langage il est probable que dans toute l'histoire de la pêche, hic, rarement un harpon, hic, aura ferré une vieille godasse. Quelqu'un applaudit comme quoi, cria-t-il, évoquant Dieu sait qui, suite à Dieu sait quel récent échange de propos à propos d'une publication américaine non moins récente, le journalisme pour lui n'a jamais été un avatar de l'écriture ou le contraire. Bref, j'étais enfin ce qu'on peut honnêtement appeler noir.

Je vois Ronald. Il est appuyé contre la table où s'amoncellent les disques et leurs pochettes, puzzle du lendemain, devant lequel j'imagine déjà Mike, dessoûlé, furieux, pestant c'est la dernière fois que j'fais une fête vous êtes tous insortables plus de fête allez faire le mariole dans les boîtes faites-vous le plumer dépouiller assassiner mais plus chez moi plus de fête je travaille je débranche mon téléphone allez vous faire voir chez les. Je dis Ronald. Il me répond hein? Ronald cet après-midi tu m'as entubé avec cette histoire de tableau. Il me répond mais non Ti-Mâle mais non pas à toi je f'rais pas ça à un frère. Je lui dis frérot regarde-moi dans les yeux. Il me regarde. Je le fixe. J'attends quelques secondes. Il cligne pas des yeux. Je lui dis bon je te crois mais si jamais écoute-moi bien si jamais je tombe sur ce tableau un jour chez quelqu'un. Il me dit je te promets je te promets sur la tête de. Je dis hop pas de tête. Les coupeurs de têtes j'en veux pas nous n'en voulons pas ni toi ni moi tu sais bien. Il m'dit c'est bien ça qui nous perdra. Je réponds vivement qu'on soit perdus et j'avale une grande rasade d'alcool soviétique.

J'ai encore perdu Fran.

J'effectue une rotation à 180 degrés, je retombe sur Ronald. Il me demande dis-moi je veux pas être indiscret mais pourquoi t'es pas avec Jenny? Je lui mets les bras sur les épaules, mon verre derrière son dos. Il tourne la tête dans son dos. Je lui dis t'inquiète pas je vais pas t'éclabousser je suis pas soûl. Ronald adore les fêtes mais il boit jamais une seule goutte d'alcool ça fait partie de ses principes que je respecte. Il dit faut toujours avoir la tête claire toujours. Je lui dis Ronald écoute si tu veux être mon copain le mot de Jenny. Il fait ouais? Eh bien le mot de Jenny oublie-le. Plus jamais. Ne me parle plus jamais de Jenny.

J'ajoute j'ai la tête très claire t'as compris ? Okay, il fait.

La suite je ne saurais pas vous le dire.

Je suis étendu dans un canapé. Avec un mal de crâne épouvantable. Je me lève. Marche d'un pas, j'imagine plus élégant que jamais, vers la porte de la salle de bains. J'enfonce ma tête dans le lavabo. Eau froide. Je reviens dans le living au radar, la tête dans une serviette. J'ouvre les yeux sur un paysage de fin du monde.

J'ouvre la porte de la chambre de Mike.

Fran est étendue dans le lit tout habillée.

Mike n'est nulle part dans l'appartement silencieux.

Incroyable ce qu'une population d'êtres humains peut produire comme déchets en si peu de temps. Je slalome entre les cendriers renversés et les assiettes de carton graisseux, les fonds de vodka dans les verres et les objets oubliés. Je reconnais le chapeau de Kafka dans un coin. Je le ramasse machinalement, l'époussette pieusement, le suspend à une patère.

La température dans la pièce me paraît basse. Les fenêtres sont grandes ouvertes. J'en ferme une complètement, l'autre aux trois quarts. Dehors il fait un temps sombre, le ciel est plombé, les arbres sont flous. Il me faudrait des lunettes pour chercher mes lunettes. Je tâtonne dans le canapé et les retrouve dans l'angle entre un accoudoir et un coussin qui a dû me servir d'oreiller. Extérieur jour, intérieur apocalypse.

Je retourne dans la chambre de Mike.

Je me penche vers Fran, un genou dans le lit. Elle est pâle. Elle respire mal. Elle a le front trempé. Brûlant. J'entreprends de lui enlever ses baskets. Je l'entends marmonner quelque chose. Je tends l'oreille. Elle zozote quelque chose. Je me rapproche de son visage. Elle dit les sozes. Un temps. Les sozes vont pas s'arranzer. Un temps. Pas s'arranzer d'elles-mêmes. Elle est tellement avachie que soudain j'ai peur qu'elle n'ait avalé une merde.

Du regard, je fais un tour de la chambre. Jusqu'à son sac jaune ocre aplati sur une pile de bouquins rangés à l'horizontale dans la bibliothèque de Mike. Je marche vers le sac, le prends, l'ouvre et l'inspecte. *Ulysse*. Le walkman. Trois cassettes : un Miles Davis, un Boulez et, tiens, une Aky marquée au stylo bille d'une de ces écritures américaines quasiment standardisées D.B. Des clés. Un agenda. Le bandeau mauve. Des trucs de nana. Et que des choses légales. Je pose le sac.

Je finis de lui enlever ses baskets. Je la déshabille non sans mal. En lançant ses vêtements un à un dans un fauteuil vers son sac. Elle répète les sozes. Les sozes. Je lui dis on verra ça demain dors. Je parviens difficilement à la faire entrer sous la couette. La porte. Le living. La porte de la cuisine. Le placard. Pas un seul verre. J'en ramasse un dans l'évier. Le lave à grande eau. Je remplis d'eau froide. Le vide d'un trait. Le remplis de nouveau. La porte. Le living. La porte.

Fou ce qu'elle est lourde cette petite. Je réussis à la faire boire. Sur la bande-son du microsillon rayé. Les sozes. Les sozes vont pas. Je pense en souriant à l'extrême vulnérabilité de quelqu'un qui dort. Je pense aussi à mes insomnies qui ne sont le signe d'aucune invulnérabilité particulière. Je suis content de m'être assommé à la vodka cette nuit. Ça faisait plusieurs années que ça ne m'était pas arrivé. En général, l'alcool me réveille. Si seulement l'après-cuite n'était pas ce mal de tête, ces tambours dans la tête.

La porte. Le living. La porte de la salle de bains. Le placard. La pharmacie de Mike est plus sous-développée qu'un village haïtien en instance de départ vers les Bahamas. Je déniche tout de même un flacon qui fera l'affaire. Je remplis le verre. Le comprimé administre la preuve de son effervescence en pétillant longuement. J'avale la mixture en renversant la tête d'un mouvement sec. Je tombe sur ma grimace dans la glace. Pas beau à voir le mec. Je remplis de nouveau le verre. Comprimé. Porte. Living. Porte. Je pose le verre sur la moquette. Redresse Fran de plus en plus lourde. Ramasse le verre d'une main en la tenant de l'autre, mon bras l'entourant. Comme dirait la grand-mère de Jenny avale-moi ça vite fait ça te bouchera pas le derrière. Les sozes. Les sozes. D'accord. Demain. Dors.

Je me déshabille. Me faufile sous la couette en tremblotant. Et nous jouons à qui s'accrochera le plus désespérément à l'autre. Jusqu'à midi.

Mike est assis dans le canapé. Il a une cigarette entre les doigts. Il fait des ronds de fumée. Quand je suis entré dans la pièce, il n'a pas bougé. N'a pas regardé vers moi. D'abord sa présence m'a surpris. Puis j'ai dit t'inquiète pas on va nettoyer tout ça. Il n'a rien répondu. Je suis resté debout quelques secondes à le regarder lancer dans l'air des figures circulaires qui deviennent des spirales et ensuite de la fumée informe.

Je m'assieds. Mike dit il s'agit pas d'ça.

Pas d'ça quoi? Pas du bordel je m'en fous du bordel. Qu'est-ce t'as? Marilyn, il fait. Marilyn quoi? Il expire bruyamment en écrasant son mégot dans le cendrier en verre transparent posé sur l'accoudoir. Il dit oh merde. Qu'est-ce t'as? Il dit oh merde j'suis encore amoureux. Je lui dis oh merde. Silence.

Un morceau de soleil débile a consenti à se lever tandis que Fran et moi dormions. Le pauvre fait des efforts au-dessus de ses forces pour éclairer la pièce, envoyant un rayon ridicule sur le cendrier. Je regarde le bout du mégot tordu avec une violence surprenante chez Mike. Il dit comment tu la trouves? Je réponds c'est bien la grande blonde astrologue? Ouais. Elle est bien sauf que. Sauf que quoi tu l'aimes pas? Non non c'est pas ça je la trouve bien c'est elle qui doit pas m'aimer des masses. Mais non c'est une fille très bien elle a un préjugé contre les Balance Verseau un truc d'irrationalité comme ça j'y comprends rien à ses histoires c'est son truc quoi dans ce pays chacun maximise sa différence à sa façon elle c'est les astres ça change pas le fond du problème j'suis amoureux fou d'elle.

J'essaie de trouver une réponse, mais je ne suis pas sûr d'avoir saisi la question. À Mike, je n'ai pas envie de balancer des mots au hasard tout le temps, encore moins lorsqu'il a l'air si malheureux. J'essaie de saisir pourquoi tomber amoureux est devenu une tare. Pourquoi tout d'un coup, dans l'histoire de l'humanité, dans cette partie du monde, pour des gens de notre âge, avec nos histoires, tout devient si compliqué. Bref, je me pose des questions dont je suis incapable, au moment où elles me viennent à l'esprit, de savoir si elles portent sur des faux ou des vrais problèmes. Un moment, j'envie ceux qui ont des réponses à tout, un prêt-à-porter mythologique acquis une fois pour toutes, et qui ont parfois l'air heureux, satisfait, comblé.

Je dis Mike. Il répond hein? Qu'est-ce qui s'passe? Il dit j'en sais rien. Silence. Il dit t'as des nouvelles de Jenny? Je dis parlons pas d'Jenny c'est peut-être avec elle que les choses sont encore le plus simple. Il dit je comprends. Très bien si tu comprends voilà un problème de moins. J'ajoute on va nettoyer ce foutoir on va faire des choses bêtes avec nos mains des choses pratiques et utiles avec un objectif précis et simple tu vas voir après ça ira beaucoup mieux. Il dit elle est là ta copine?

À ce moment, la porte de la chambre s'ouvre sur Fran, à poil, dans les vapes, qui traverse la pièce à grands pas en se frottant les yeux, je lui dis ça va Fran? Elle maugrée ça va. Ouvre la porte de la salle de bains, qu'elle referme derrière elle, sur la voix de Mike qui dit elle est pas mal foutue ta copine. Je réponds sans compter les emmerdements.

Nous avons sorti de grands sacs en plastique, remplis maintenant, et posés dans l'entrée. Nous nous sommes amusés à mettre des étiquettes sur les objets oubliés. Fran dit qu'on pourrait écrire une thèse rien que sur le thème *qui a oublié quoi.* Mike dit s'il te plaît Fran pas de thèse. Nous avons balayé, aspiré, raclé, gratté, frotté, rangé. Rivalisé d'ardeur à la tâche. Une corvée plutôt joyeuse.

L'appartement est redevenu vivable. Le vent de déprime est tombé.

Fran a décidé d'affronter Bill.

Quelle histoire !

Mike est parti.

Le téléphone a sonné, il a bondi dessus, je l'ai entendu proférer deux ou trois choses sans bon sens, j'en sais rien, et toi, *I didn't mean that*, c'est pas ce que j'voulais dire, tu es trop irritable, bon d'accord je viens, il a raccroché, il a dit *God*, il a décroché sa parka vert olive suspendue à côté du chapeau de Kafka, il nous a lancé bon les gars je vous aime bien mais le devoir m'appelle j'descends deux sacs vous vous occuperez du reste, il a ouvert la porte en fermant son col, il s'est retourné, Ferdinand pour la porte tu connais la combine, vas-y, j'ai répondu, il ne faut pas faire attendre le devoir, je pensais en voilà un qui n'est pas sorti de l'auberge, Fran a dit bye Mike et merci c'était grand.

Je regarde Fran, tandis que Mike referme la porte, elle est assise à un bout du canapé, vers la porte de la cuisine, adossée à l'accoudoir, la tête rejetée de côté sur le dossier, regardant dans ma direction, les jambes dans le canapé, à la place qu'occupait Mike, je suis assis à l'autre bout, le dos tourné à la fenêtre ouverte aux trois quarts, je regardais dans la direction de l'entrée au moment où Mike partait, maintenant Mike est parti, je me retourne vers Fran, je la regarde, et je répète c'était grand. Sur ce ton mi-figue mi-raisin qu'on adopte pour écrire à des amis, du fin fond d'une île paumée où l'on s'ennuie avec une famille de pêcheurs et trois chèvres, une carte postale censée leur montrer comme l'île est magnifique, prétexte tout trouvé pour emprunter l'unique sentier de chèvre jusqu'à la boîte aux lettres où l'on aura envie avant de glisser le courrier d'aboyer à la lune hou hou y'a un facteur?

Fran déplie son corps en soupirant, allonge un pied vers moi, que je lui prends, elle dit tu plaisantes ou c'est vrai que tu repars ce soir? Je ne réponds pas, je regarde l'heure, il est 14h07, je calcule rapidement qu'il faudrait récupérer ma valise chez Jenny à 16h30 au plus tard, foncer à l'aéroport le plus vite possible, si c'est un DC-8 trafiqué me battre pour un siège vers la sortie de secours là où il y aura de la place pour mes jambes, je pense à la bagnole, je lui dis la bagnole? Ouais? Tu l'as louée où? Elle m'indique l'adresse, je lui dis on peut pas la rendre à l'aéroport? Elle me répond c'est vrai que tu repars? Je dis oui qu'est-ce tu veux que j'foute dans votre ville de merde? J'ajoute vite que je suis désolé mais faut qu'je parte je perds du temps ici je désespère de jamais pouvoir monter l'affaire du film je n'ai pas écrit un seul mot depuis mon départ de Paris les choses avec Jenny ont pris un tour curieux bref le seul point intéressant c'est de t'avoir rencontrée. Je pense que je viens d'émettre un ou deux propos de trop. Elle me dit tu l'aimes encore cette nana?

Je ne réponds pas, je lui masse le pied doucement, en essayant de me concentrer sur le seul mouvement de mes doigts, le cou-de-pied, sa cheville, son talon, la plante, les doigts un à un, les phalanges, y'en a une qui craque, elle fait aïe. Ça t'a fait mal? Je n'sais pas. Elle a ce tressaillement des narines. J'essaie de penser à des choses très pratiques, très immédiates, telles que téléphoner pour dire que la bagnole on la rendra ã Kennedy, et demander à Fran comment elle va faire pour Bill, que si elle veut elle peut parfaitement rester chez Mike, c'est pas un mec chiant, il suffit de ne pas lui parler d'écriture, il ne t'embêtera pas avec l'histoire de Marilyn, l'air de rien c'est quelqu'un d'assez secret, il n'y a qu'à moi qu'il se vide quand la mer de la vie déborde dans sa tête, j'essaie de réfléchir à des tactiques pour l'affaire de Bill, je ne comprends pas qu'une femme ne puisse pas rentrer chez elle et dire coucou me revoilà je m'suis envoyée en l'air quatre jours avec un mec sympa à présent c'est terminé j'ai la pêche c'est toi que j'aime, je me tourne vers Fran, je continue à lui masser le pied, je lui dis et toi tu l'aimes encore ce mec?

Je pense que je suis en train d'aggraver le malentendu.

À la vérité, j'en sais foutre rien, je suis en train tout doucement d'être submergé par un désir violent, une violente envie de Fran, une violente envie de Jenny, une violente envie du monde entier, une violente envie de plaisir, de bonheur, d'histoires claires, de fictions succulentes comme des glaces, de vies qui se savourent goulûment de la naissance à la mort, je suis en train de communiquer à Fran ce désir violent, et je sais qu'on va faire l'amour, elle va hurler de joie, que je vais hurler de joie, et qu'après les choses n'en seront pas simplifiées, dans quelques heures je serai seul dans un avion, me demandant si je suis dans la bonne direction, sachant parfaitement qu'il n'y a pas de bonne direction, il n'y a pas de direction, je suis certain de la direction du téléphone, je pose le pied de Fran sur le canapé, je me lève, je dis je vais téléphoner.

J'appelle les renseignements qui m'indiquent le numéro de la société de location.

J'appelle ladite société, je résous l'affaire de la bagnole en une minute.

J'appelle chez Ronald, ça va, t'es bien rentré? Hier je m'suis écroulé de fatigue. J'imagine son sourire narquois.

J'appelle chez Jenny. Personne.

J'appelle chez la grand-mère. Personne.

J'essaie de faire traîner en formant inconsciemment le propre numéro de Mike, je raccroche après un temps, je m'oriente vers la cuisine en disant t'as pas faim?

Elle répond dépêche-toi l'autre pied va être jaloux.

J'imagine qu'un peu de réel va lui faire du bien, je lui dis, en m'asseyant de nouveau dans le canapé, dis-moi faut bien faire quelque chose pour Bill t'as dit que t'étais prête à l'affronter. Elle répond tout aussi sec Bill je l'emmerde mes parents je les emmerde mes soi-disant amis je les emmerde je vais aller en France. Elle a commencé la phrase couchée, elle l'a terminée assise, elle s'est redressée d'un bond, elle a des yeux qui me rappellent maintenant l'expression de Jenny quand elle joue à la division blindée, sauf pensé-je que Jenny est effectivement une division blindée. Fran me fait l'impression d'une fragilité plus grande que la sienne, ou que celle de Mike, ou que la mienne. Se rend-elle compte?

Elle vient de dire en France, elle est assise, elle me regarde, comme si elle défiait l'Amérique tout entière, j'entends ses os qui ploient sous la pression, j'entends ses reins se briser, j'entends le cri d'Apache qu'elle a poussé sur le mur chez ses parents, elle vient de dire en France. J'imagine que je suis dans la peau de celui qui sait. Est-ce que c'est encore loin la France? Est-ce que tu m'aimes? Est-ce que notre amour est assez beau, assez grand, assez fort pour défier l'Amérique et l'Europe? Pour défier tous les continents? Pour défier toutes les pesanteurs, tous les interdits, tous les coups bas? Est-ce qu'on fera toujours aussi furieusement l'amour?

Je vendrais volontiers un morceau de mon âme pour ne pas être à l'instant là, devant elle, devant ce corps dressé dans la tendresse, devant cette tentative de coup d'État de la tendresse, cette minuscule révolution d'un corps de femme en colère. Car c'est de la colère que je lis dans ces yeux qui me regardent comme s'ils attendaient une réponse de mes yeux, et mes yeux n'ont pas de réponse, mes yeux ne voient rien, je regrette de n'avoir pas chaussé mes lunettes de gangster. Je dis Fran.

Fran écoute ceci. Et je ne sais pas la phrase suivante. Je répète écoute ceci. Écoute bien ce que je vais te dire. J'essaie d'organiser une pensée rationnelle. Avec une introduction. Un développement. Une conclusion. Une pensée pragmatique à la King Gillette. Qui débouche sur des décisions. Des effets pratiques. Quelque chose avec des pourcentages. Des crobards impressionnants. Avec des mots comme curriculum vitae. Avec des numéros de compte. Des adresses. Des numéros de Sécurité sociale. Des points de retraite. Bref, la poésie de la vie courante. Fran me regarde.

Elle dit demain je m'occupe du passeport. Je respire. Je me demandais si elle avait pensé au passeport. Elle lâche encore une ou deux informations qui me rassurent sur sa santé mentale. Elle parle. J'entends passeport. J'entends billet d'avion. J'entends l'appartement est loué au nom de Bill pas de problème de ce côté-là. J'entends une ou deux références des traductions qu'elle a faites, elle les donne en des termes d'une efficacité toute militaire, ce sont de vraies références, qui réfèrent à une vraie compétence, je n'en doutais nullement. J'entends je ne t'embêterai pas je peux parfaitement me débrouiller toute seule tout ce que je te demande c'est de m'héberger un temps.

J'aime beaucoup les gens qui savent se débrouiller seuls. L'idée de Fran dans mon appartement quelque temps à Paris ne m'effraie pas. Elle dit, en accélérant son débit comme si elle voulait que je n'y voie que du feu, j'ai bien l'intention de vivre seule je t'aime mais. Je dis tu quoi? Elle fait pffffff t'as bien entendu mais j'ai pas envie de recommencer à vivre avec un mec. Je dis attends attends attends. J'essaie de trouver une parade rapide. Un truc de base-ball. Pas question de me risquer sur son terrain. Ce qu'il me faudrait c'est une formule vaudou. Un *ronga* verbal du meilleur *houngan* d'Haïti. Une recette abracadabrante qui la fasse changer d'idée vite fait. Mais là je suis incompétent.

Je dis Fran. Je ne sais pas si ma voix est douce ou dure. Il faut qu'elle revienne sur terre, finie la lévitation. Elle dit qu'elle veut récupérer des affaires chez Bill, et si je peux l'y accompagner, parce que Bill est trop poli pour s'en prendre à elle devant quelqu'un, et qu'elle a peur d'y aller seule, il ne m'a jamais frappée c'est pas son genre mais je sais pas j'ai peur. Elle dit qu'elle n'a plus peur d'aller à l'hôtel depuis vendredi, je retournerai au même hôtel j'ai vu comment c'était c'est pas si sordide ni si dangereux j'y reste le temps qu'il faut en partant je paie avec ma carte de crédit. Elle dit qu'il y a bien un ou deux endroits à New York où elle pourrait aller Bill les connaît il risquerait de venir me chercher. Elle dit qu'elle ne veut pas rester à New York. Orgueilleux comme il est Bill me pourchasserait partout. Il va pas se faire à l'idée d'être largué comme ça.

Je dis je comprends. Je ne comprends pas. C'est comme un autre monde. Je ne suis plus du tout sûr que nous sommes à quelques années du début du IIe millénaire après J.-C. L'humanité a-t-elle avancé d'un seul pas? L'an 2000 s'il vous plaît? Continuez à zigzaguer c'est droit devant vous. Avec un peu de respect pour les passages cloutés, et en faisant bien attention aux échelles et aux chats noirs, nous risquons d'être encore là. Et pas si vieux. Il y aura des fêtes un peu partout. Si je ne m'abîme pas trop les guibolles entre les rangées de sièges d'avion, je pourrai danser. Bon c'est pas tout ça qu'est-ce qu'on fait?

Elle dit que sa décision est prise.

Et la démocratie alors?

Si on votait au prorata de la taille, je gagnerais. Au prorata de l'âge, idem. Ah ces sociétés où un an de plus ou de moins peut être décisif. Nous ne votons pas. Elle se love contre moi, et voilà je vais craquer. Quand les jeux de l'amour commencent dans l'humour, c'est le pied qui guette. Elle dit que Bill n'a pas de chance qu'elle soit tombée sur moi. Il existe peut-être des êtres humains qu'une telle déclaration laisserait de glace. Moi ça me fait tout chose, hélas. Elle a dit ça sur un ton d'immense appétit pour le ciel qui bascule dans la fenêtre, pour les arbres qui basculent, c'est l'univers qui bascule, dans les vêtements qui s'envolent, dans les corps qui s'envolent, dans la lumière qui s'envole, et dans les cris, dans nos cris, elle dit qu'elle m'aime, elle pleure, elle dit qu'elle m'aime assez fort, elle pleure de jouir, elle dit je t'aime assez fort pour te faire oublier Jenny.

Nous roulons sur Columbus Avenue, vers le sud. Elle est très détendue. Elle dit qu'elle n'a pas peur. Que c'est un mauvais quart d'heure à passer. Nous n'avons pas téléphoné. Ça n'aurait servi qu'à augmenter chez Bill la tension de l'attente. Elle est sûre que Bill est là. À tourner en rond dans son atelier. À ne pas peindre. Elle ne se sent pas coupable. Pourquoi le serais-je? Je préfère cette situation d'avoir à négocier avec quelqu'un qui n'a pas eu le temps de préparer ses réactions. Des vieux principes de militant pourri. Nous serons à égalité.

Fran fait mentalement le compte, en chuchotant, des affaires à prendre, afin de faire durer le moins longtemps possible ce dernier face-à-face. Elle dit que le plus important, c'est son travail, ses papiers et quelques fringues. Je n'anticipe pas un scénario. Tout ce que je sais c'est que ça va être pénible. Nous passons devant une boutique de gadgets où je me souviens d'avoir vu des poings américains. Cette idée me paraît saugrenue. Bill a fait le Viêtnam et j'imagine ce que ça a dû être. Fran m'a confié qu'il ne veut pas en parler. Je revois le tableau dans la galerie de la 57e Rue. J'imagine.

Plus j'y pense, plus il me semble que Fran a raison de partir. Mais pour moi, mes rapports avec elle sont désormais limpides. Je ne suis pas guéri de Jenny. Je désespère de l'être dans les quelques années à venir. Voilà l'une de mes rares certitudes. Il faudra que j'apprenne à vivre avec cette blessure. Je peux tricher par des petits compromis. Avec Fran par exemple. Cependant elle ne me paraît pas assez costaud. Je me méfie de moi. Avec un chagrin d'amour en plus. Fran me demande si ça va. Je dis ça va. Je pense que j'aurai passé une vie à négocier avec des assassins, alors un mec seulement jaloux. Pffffff. Quelle histoire, fait Fran. Un vrai roman. À un feu rouge, on a le temps de se rouler une pelle et deux archipels.

C'est un immeuble partagé en lofts. Avec des échelles sur la façade en briques rougeâtres. Nous avons garé la voiture dans la même rue qu'hier. Je me rends compte que Fran s'était approchée très dangereusement de chez eux. Elle ne m'a pas dit qu'on était aussi près. Je ne comprends pas franchement. Elle répète ça va ? Je lui dis pas de panique respire un bon coup. Elle obéit littéralement. En expirant très fort dans le vieil ascenseur très lent, trop lent. Elle enfouit sa tête un moment dans mon anorak. Elle la redresse, elle est en train de détendre sa lèvre, qu'elle vient de mordre très vite. Je lui dis oublie tout fais les trois ou quatre gestes nécessaires essaie de rien oublier et sois relax ne le défie pas ne le contrarie en rien.

L'impression d'être dans un western. Juste avant une charge de cavalerie. Mais je ne sais pas qui joue quoi. C'est un ascenseur qui s'ouvre directement dans le loft. Tout à l'heure, Fran a dû utiliser une de ses clés. Elle m'a dit en général y'a un liftier mais y'a des tas de problèmes dans l'immeuble maintenant. On a même dû mettre une autre porte.

Elle me dit tu crois qu'on sonne avant ou qu'on rentre sans sonner? Je lui réponds au feeling sonne et mets les clés en prenant ton temps comme tu fais d'habitude quoi. Nous ouvrons la porte sur un grand Noir costaud en salopette blanc cassé avec des taches de peinture partout, un visage poupin qui d'abord regarde moi puis Fran puis moi avec une certaine surprise dans les yeux, puis Fran, il ouvre de grands yeux, la bouche, puis il sourit, en ouvrant les bras, il dit *baby welcome home*, il se jette sur Fran les bras ouverts, il dit *darling* je suis si content que tu sois revenue.

Bill c'est Ferdinand.

Hi Bill nice to meet you.

Hi Ferdinand nice to meet you Ferdinand.

Come in ne restez pas comme ça plantés à la porte.

Artistes au travail

L’espace du loft ne protège pas ses secrets. Il cafte. Exposé vers le nord, j’imagine qu’il reçoit la lumière relativement constante qu’exige le travail de Bill. Sa géographie livre son histoire : c’est celle d’un lieu ouvert, qui aura été progressivement fermé. Une porte d’entrée solide dans une cloison où une hachette pratiquerait sa brèche sans aucun mal. Des tentatives de cloisonnement intérieur, timides. Un large paravent en bambou au fond de l’unique pièce où nous voici tels trois piranhas d’une espèce spécialement carnassière lâchés dans une baignoire pleine de détresse à ras bord.

J’ai encore dans la tête l’image de Fran debout, les bras ballants, pliant un genou en levant la jambe vers l’arrière, la semelle brunâtre du basket vers moi debout derrière elle, déportée en avant vers Bill qui referme les bras autour d’elle en disant je suis si content. Faufilant mon regard à travers ce labyrinthe de corps, non pas enchevêtrés, mais superposés en une figure vacillante, un volume friable, château branlant de chair vive et de sang prêt à couler, j'ai d'abord entrevu le paravent en bambou, puis les miroirs, puis les masques.

Salamalecs des mecs et nous voilà dans l'arène. C'est dans des circonstances comme celles-là que je vérifie à quel point je ne suis pas suicidaire. Ma légendaire distraction cède la place à une machinerie de réflexes programmés pour un seul but, la vie, j'ai la matière grise chauffée à blanc, l'œil multiplié comme lors de l'accident de voiture manqué avec Fran, je vois mille images en même temps, mille images distinctes, identifiables une à une en même temps, je perçois les odeurs, les odeurs de nourriture dans l'immeuble, les odeurs de la peinture de Bill qui dominent de très haut toutes les autres, ce loft est l'atelier du peintre, c'est un lieu où il n'y a de place que pour ce peintre-là et pas deux, où il n'y a de place que pour un seul créateur et pas deux, Fran n'a aucune chance de survie dans ce lieu-là, elle y a développé une allergie tout ce qu'il y a de plus normal, et les sozes, les sozes ne s'arranzeront pas d'elles-mêmes.

L'atelier porte les traces de toutes les tentatives de négociations. Les miroirs. Les masques vénitiens et les masques africains. Le paravent de bambou, derrière lequel maintenant Fran va et vient, elle a dû poser une valise ou un sac sur quelque chose qui doit être un lit ou une table, et elle est en train d'y empiler des affaires. Bill s'est assis en face de moi, qui d'abord suis resté debout, il m'a dit assieds-toi, j'ai dit merci je pense qu'on va pas rester longtemps, j'ai dit ça en m'asseyant sur une banquette cannée en face de lui et le regardant, puis j'ai tourné la tête vers le mur, où je lis une inscription peinte, le genre de plaisanterie de couple indéchiffrable :

MERDE TU M'AS PIQUÉ
TOUTE LA COUVERTURE

Le genre de détail qui fait rire, puis grincer des dents, puis prend des dimensions disproportionnées, les moindres prétextes étant bons pour ne pas regarder les choses en face quand les choses ne vont pas, les moindres détails viennent camoufler l'essentiel, les moindres petits points s'agrandissent en gros plan, les moindres petits bruits s'amplifient, chacun redevient le gosse qui ne voit jamais la vie qu'en gros plan, le spectacle du monde sur écran géant, c'est comme une petite pellicule sympathique sur une épaule aimée, la même petite pellicule devient toute la tête d'une personne antipathique, une grosse petite pellicule ça ne se discute pas ça s'écrase, pan. Nous sommes tous de grosses petites pellicules ambulantes, nous devrions le savoir. Tout le reste est littérature. Sauf à protéger la petite flamme de l'amour contre les coups de vent, et Dieu sait si ça vente par les temps qui courent. Nous sommes tous une zone de dépression. Nous sommes tous des orages isolés.

Bill n'a rien à me dire. Je n'ai rien à dire à Bill. Je suis là pour lui enlever sa femme. Il est là pour me faire rater mon avion. Fran dans l'histoire est bien seule et elle le sait. Si seulement Bill était un mauvais peintre, je pourrais lui lancer monsieur votre peinture c'est de la croûte. Hélas je le trouve bon. C'est un vrai peintre. Sur le mur, il y a la toile sur laquelle il est en train de travailler, l'assassinat de Fran sur la toile. Elle est trop sensible pour ne pas lire sa mort sur cette toile. Il ne lui reste plus qu'à faire ses bagages le plus vite possible. Bon Dieu, qu'est-ce qu'elle fout? Elle s'agite comme une damnée derrière le bambou. On ne quitte pas son père pour s'enfermer avec un vrai peintre dans son espace de travail à lui, ça ne devrait pas exister des malentendus comme celui-là. Les considérations économiques ne changent rien à l'affaire.

Non loin de la toile de Bill, à main gauche, sur le plancher, il y a un téléviseur flanqué d'un magnétoscope, voyants allumés, on voit sur l'écran l'image fixe de quelqu'un que je reconnais, il s'appelle James Worthy. Image moyennement définie en couleurs. Le basketteur est au centre, tourné vers le rebord gauche de l'écran, les bras levés, il tient le ballon qu'il vient d'attraper ou qu'il va lancer. Il porte une paire de lunettes à large monture convexe prolongée vers la nuque par un tirant nettement visible. Il a la bouche ouverte, comme s'il criait quelque chose, ou bien l'effort. L'image est cadrée jusqu'aux genoux. Il porte un débardeur largement échancré au cou et aux manches, et un short échancré sur le côté en un V renversé. Au premier et au troisième plan de l'image, il y a deux autres joueurs que la mise au point sur James Worthy a rendu inexistants.

C'est manifestement un document à partir duquel il travaille. Je regarde la toile. Je regarde l'écran. Je regarde Bill. Aucun rapport. La toile n'est pas assez avancée. L'image est somme toute assez banale. Bill a ce calme sous tension des animaux à sang froid. Le charmant reptile capable de se déployer à 37 degrés centigrades. J'ai une machette dans la tête. Et deux objectifs. Tirer Fran de là comme promis. Ne pas rater mon avion. Violent, Bill aurait perdu. Je serais encore d'accord pour vendre un autre petit morceau de mon âme juste pour tout comprendre. Bill est d'une gentillesse incroyable. Il me demande tu veux pas boire quelque chose? Je lui réponds tout aussi gentiment, en m'efforçant de ne pas en faire trop. Non merci ça va.

Bill se lève. S'oriente vers le paravent. J'entends le sifflement de la machette dans ma tête.

Je penche la tête. Vers le couple. Vers les sons du couple. Pas la peine de sélectionner longuement parmi les rumeurs qui montent des immeubles. Les bruits d'un couple en rupture ça s'entend très fort. J'entends *darling*. J'entends Bill tu sais que j't'aime mais on peut pas continuer comme ça. J'entends tu sais bien que. Il n'y a pas de violence dans les sons de ce couple. C'est un moment de tentative de conciliation des intérêts ou de conciliation des tentatives, je ne sais pas comment on dit.

C'est con deux êtres remarquables derrière un paravent de bambou un dimanche après-midi en hiver à Manhattan New York U.S.A. en train de me faire perdre mon temps. En train de perdre leur temps. J'entends je dois réfléchir Bill on peut pas continuer comme ça. Fran parle assez haut. Bill chuchote. Je suis obligé de tendre l'ouïe. C'est le genre de situation où je n'aime pas les bribes d'information. Il me faut toute l'information. Je me penche un peu plus. Ma parole il s'exprime en langage sourd-muet.

Un moment je me sens de trop. Qu'est-ce que je fous là ? J'ai cette morale comme une scie dans le crâne. Je me sens responsable. J'ai appris à respecter mes contrats. J'ai trop écouté Fran. Je saisis trop bien les données de base de la situation. Bref, nous sommes trois piranhas édentés dans un aquarium de salon à méditer sur l'infinie beauté de la végétation synthétique où ils survivent.

Voici Fran.

Son visage, en un laps de temps, s'est transformé. Elle a les joues rouges. Elle a des larmes qui lui coulent sur ses joues rouges. Ce ne sont pas des larmes de plaisir. Elle a les yeux gonflés. Les larmes de plaisir ne laissent pas de marques. Elle vient vers moi en disant Ferdinand. Je me redresse et la regarde. Derrière elle, voici Bill. Je ne sais pas pourquoi il me fait penser à King Gillette. Si je sais. Cette sérénité impeccable. Ce tremblement mal refoulé. Envie de lui crier. Mais tremble. Ose trembler grand Dieu. Ouvre la fenêtre. Gueule. Crie. Tremble de tous tes os. Je te donnerai même un coup de main. On va tous gueuler ensemble, tiens.

Au lieu de quoi il me dit Ferdinand je suis désolé.

Dans ce pays tout le monde est désolé. *Sorry. Oh I'm very sorry.* Il faudra que je pense à rayer ce mot de mon vocabulaire. Nous n'avons pas à être désolés. C'est à d'autres d'être désolés. Il faudrait que des gens comme Pinochet, des gens comme Reagan, des gens comme les Duvalier, les sanguinaires du Viêtnam et du Cambodge, les bourreaux du goulag, les racistes en Afrique du Sud, il faudrait organiser un charter pour tous ces gens-là, et qu'ils viennent se mettre à genoux à nos pieds, et disent devant le monde entier qu'ils sont désolés. Et qu'ils tirent les conséquences de ce que ça veut dire je suis désolé. Fini de parler en l'air. Je ne suis pas désolé.

Bill sort je vais chercher des clopes.

Je fume la pipe moi. Fran ne fume pas. J'imagine ses odeurs de clopes dans l'atelier. Et la même Fran qui m'assurait que la fumée de ma pipe ça ne la gêne pas, la même Fran lui disant Bill arrête de fumer. Tu empestes l'atmosphère. Pourquoi ne pas traduire? Bill tu me pompes l'air. Bill y'a pas assez d'espace pour deux ici. Bill je ne t'aime plus. Bill mes parents plus toi plus le poids du monde c'est trop pour mes frêles épaules. Bill tu ne m'aimes pas. Bill si tu m'aimais tu ne me ferais pas chier autant. Bill je veux de l'amour et des preuves d'amour le mot amour ne me suffit pas. Bill tu as trop vu.

Fran me dit Ferdinand. Ouais? Je n'sais pas quoi faire. Sur ce ton entre larmoiement et la décision déjà reprise. Tu veux rester? Elle répète je sais pas. Je sais pas. Il est redevenu gentil tout d'un coup. Dans ce pays tout le monde veut de la gentillesse. On va tout planquer sous une tonne de gentillesse. Fini de parler en l'air. Moi. Je ne suis pas gentil.

Je dis Fran. Et cette fois ce n'est pas le ton du politicien en panne d'imagination à la télévision un soir de veste électorale. Fran moi non plus je n'sais pas. Je n'peux pas savoir à ta place. Voilà le numéro de Mike tu gardes le contact avec lui. Voilà mes coordonnées à Paris. J'ai toujours un répondeur allumé si je suis pas là. Je t'envoie le billet par Mike ou à l'adresse de l'hôtel si tu y es. Tout ce que je peux t'dire c'est que tu pourras toujours compter sur moi.

Mots solennels qu'accompagnent des gestes solennels? Je ne sais pas comment on fait autrement dans ces situations-là. Je n'ai pas envie de lui dire tu es en train de commettre une erreur. Je ne sais pas. On ne sait jamais pour les autres. Le retour inopiné de Bill nous sauve d'un baiser dont je n'ai pas envie.

Le hayon à bandes jaunes et noires d'une camionnette blanche me bouche un moment le passage. Je klaxonne fort. Il dégage. L'air glacé s'assombrit. J'allume le chauffage d'une main en tenant le volant de l'autre, puis je sors ma pipe d'une poche de l'anorak, que je tiens entre les dents, puis la blague à tabac. Je traverse le Bowery en remplissant le fourneau, un avant-bras sur le volant. Je débouche sur la rue

La Fayette en accomplissant les mêmes mouvements. Je traverse Washington Square, en faisant craquer une allumette, que je promène sur le tabac, j'incline légèrement la tête, les yeux sur la circulation très fluide. Je débouche sur l'avenue des Amériques, en me demandant si je prends par West Fourth Street, ne me souvenant plus du sens du trafic à cet endroit.

Le gardien portoricain me dit la même chose, je lui réponds la même chose, je jette un œil machinal sur ses écrans, il y a des images que je ne parviens pas à lire, je me rends compte que j'ai les yeux embués et tout le bordel, je suis empli d'une immense tendresse pour Jenny, le Portoricain fredonne en anglais sur une chanson qui sort de son transistor, la voix du type chante quelque chose comme :

You wake up
Suddenly
You're in love[9].

C'est la première fois que je souris au Portoricain. C'est la première fois qu'il me sourit. Sans doute parce que je me suis attardé quelques secondes de plus devant lui. Il fredonne en se dandinant doucement et en souriant : *You wake up*, je pense que sa voix est plus belle que celle du

9 *Vous vous réveillez / Soudain / Vous êtes amoureux.*

type de la radio, le Portoricain chante faux, avec un accent, et sa chanson à lui est plus belle, il balance la tête, son buste chaloupe, il dit: *Suddenly*, il marque une pause plus longue que la voix de la radio, et une fraction de seconde après le type, il repart: *You're in love*, et il traînaille sur le mot *love*, allongeant la note infiniment. Maintenant je vois: ses écrans sont vides.

Dans l'ascenseur, il me vient en mémoire ce passage d'*Alice* où Lewis Carroll écrit: *Alice chercha... mais elle ne trouva rien.* Ce qu'elle chercha, c'est la réponse à une devinette du Chapelier, sur la différence entre un bureau et un corbeau. Alice ne trouva rien.

Le couloir. La porte. L'entrée. La porte de la cuisine.

Sur la porte du frigo, un mot de Jenny: *Je suis passée hier soir comme annoncé. Tu n'étais pas là. Ça m'embête qu'on se soit pas rencontrés une dernière fois avant ton départ. Je suis partie à la campagne non loin de New York avec John. J'ai quelques jours de libres cette semaine. Alors je vais en profiter pour me reposer.*

Je vais dans la pièce. Je trouve sur le répondeur ceci: *Ferdinand. Je suis désolée pour mon attitude hier matin. J'ai pas pu me retenir. J'ai été stupide. Grand-mère a appris que t'es de passage à New York. Elle voudrait nous inviter à dîner. J'ai pris la liberté de lui dire que t'es probablement libre. J'imagine que tu seras en train de travailler. Je passe de toute façon vers 18 heures.*

J'appelle la grand-mère. Elle est là. On m'a attendu pour dîner. Jenny était dans tous ses états. Elle ne sait pas où elle est. La campagne autour de New York, c'est vaste. Est-ce qu'elle connaît un certain John? Non, elle connaît pas. Tu sais je ne connais pas tous les amis de Jenny. Tu la connais, tu sais comment elle est Jenny, dit la vioque. Je ne sais pas moi comment elle est Jenny.

J'appelle Mike. Il est là. Il croit savoir qui c'est John. Un mec qui habite pas loin du *Figaro*, là où Mike a rencontré Jenny jeudi après-midi. Les détails s'organisent dans ma tête. Cette rencontre rapide de l'après-midi. Ces cheveux tout mouillés le vendredi en fin de matinée. Sa vie de quartier.

Je débarque comme un fou au *Figaro*. La fille à la chemise caraïbe (qu'elle a changée contre un ample tee-shirt genre Hawaii Tahiti) me regarde abasourdie quand je lui demande est-ce qu'elle ne connaîtrait pas un certain John qui vit dans le quartier. Je m'assieds au *Figaro*. À la place où Fran était jeudi soir.

Elle pouvait observer, en face d'elle, derrière moi, les allées et venues entre la chambre froide vitrée où reposent des bouteilles de jus de fruits, d'eau minérale, des canettes de bière, et le bar où trônent la caisse et le percolateur. Une des deux portes de sortie est cachée par des étagères où il y a des assiettes, des flacons de sauce tomate, des soucoupes, des cafetières en pyrex.

J'essaie de penser. Comment retrouver Jenny ?

Je retourne dans l'appart Sheridan Square. Je regarde ma montre. Le temps passe. L'heure de l'avion approche. La fenêtre, la circulation, essayant de calculer combien de temps j'ai devant moi. Je prends mon carnet, regarde les rendez-vous de New York annulés et les rendez-vous pris à Paris à la place. Il faut absolument que je rentre à Paris. D'autant plus que Jenny je sais pas combien de temps elle va rester à la campagne. Si je reste à New York c'est Fran et Bill et le bordel continue. En plus je pourrais pas rester à New York avec l'idée de Jenny en train d'aimer un autre, c'est pas possible, faut que je les retrouve.

Je calcule qu'elle sera passée trois fois. Une fois pour brancher le répondeur, c'était vendredi, elle a pu le faire aussi après mon départ avec Fran. Une fois pour m'embarquer à dîner, c'était hier. Une dernière fois aujourd'hui. Elle a téléphoné au moins une fois. Elle a vu ma valise, elle sait l'horaire de mon vol, elle est partie avec John, je batifolais avec Fran. On est vraiment deux tordus. En plus, elle s'excuse pour vendredi matin, ce qu'elle fait rarement. Dans le langage de Jenny, ça veut dire qu'elle m'aime, or elle prétend qu'elle ne m'aime plus, simplement elle ne m'oubliera jamais.

Je suis assis à la table, je rassemble les éléments du puzzle, en ramassant lentement mes affaires. Je pense à la poupée. Je me lève. Je la trouve sur le panier à linge derrière la porte de la salle de bains. Ce regard, cette tristesse. L'idée me vient de l'emmener avec moi à Paris. C'est un geste que Jenny comprendrait. J'imagine déjà sa réaction: sale mec c'est tout ce que t'as trouvé d'intelligent à faire ramène-moi la poupée vite fait. Je ne la prends pas.

Je roule sur la Huitième Avenue.

Avec un désir effrayant de Jenny.

Je passe chez Mike. Je lui explique l'histoire de Bill et Fran. Je lui dis que j'aime Jenny. Que j'ai un peu peur pour Bill et Fran, peur qu'ils ne s'en sortent pas. Que Bill est peut-être mieux armé qu'elle. Que de toute façon si elle fait signe je compte sur lui. Je vais me démerder pour envoyer un billet d'avion pour Paris à tout hasard. De l'héberger s'il le faut. De faire gaffe à Bill. Et que je lui souhaite bonne chance avec Marilyn. La vague impression que je ne reviendrai pas de sitôt à New York. Jenny était ma dernière raison d'y venir.

Je roule sur Columbus Avenue.

Je traverse Central Park vers l'est.

Est-ce que je tente inconsciemment de rater mon avion? Je pourrais filer vers la 125e Rue et prendre Triboro Bridge. Je m'arrange pour voir

Queensboro Bridge. La petite musique qui me trotte dans la tête me fait comprendre pourquoi, c'est la voix de Nick Carraway dans *Gatsby le Magnifique*, c'est la petite musique de Francis Scott Fitzgerald, j'ai trop de musiques dans la tête pour arrêter de rêver :

Vue du pont de Queensboro, la cité est toujours la cité telle qu'on la voit la première fois dans la première promesse qu'elle nous fait follement de révéler tout le mystère, toute la beauté que le monde recèle.

Un kangourou à Paris

Je pose ma valise sur un chariot à bagages.

Je pousse le chariot devant moi en prenant garde aux collisions.

Je passe devant le panneau des départs. Le défilé des villes est un spectacle assez grotesque.

Je fais deux ou trois allers retours entre la porte de sortie et le panneau.

Je sors. La brise est glacée. Le soleil est pâle.

Je suis sur le trottoir, debout, les mains sur les hanches, devant le chariot.

J'exécute quelques flexions des hanches, latérale droite, latérale gauche, en inspirant, expirant, latérale droite, latérale gauche.

J'éprouve une sensation de grande forme physique.

Je m'accroupis sur les talons.

J'exécute quelques bonds en avant, en inspirant, expirant, sans toucher le sol du talon.

Un couple avec une gamine fait un grand détour pour esquiver le grand Noir qui se prenait pour un kangourou à l'aéroport de Paris un lundi matin.

La gamine s'arrête pile, m'observe en écarquillant les yeux, puis saute de joie en tapant dans ses menottes.

J'entends la femme dire dépêche-toi Véro papa va être en r'tard. Je fais volte-face en restant accroupi.

Je recommence à sauter dans le sens inverse en regardant la gamine l'air de lui dire n'obéis pas tu vas voir j'ai encore un ou deux trucs marrants à faire.

J'entends l'homme dire sur un ton nettement agressif Véro ça suffit maintenant.

La femme tend le bras et tire la gamine qui me fait bye bye de la main avant de se retourner. Je lui fais bye bye en me relevant.

Je hisse ma valise dans la malle.

Je monte dans le taxi.

Paris est droit devant nous.

Lettres de Fran
et de Jenny

La lettre de Fran

Elle a été envoyée de Portland, dans le Connecticut, pas très loin de New York. Affranchie à 40 cents. Elle a été écrite à l'aide de trois stylos billes différents : un noir, pour la deuxième ligne, où figure mon prénom (Ferdinand) ; un bleu, pour le début, une dizaine de lignes, d'un tracé plus rapide ; un rouge enfin, pour la suite, sa signature (Fran), la toute première ligne (le lieu et la date) et, sur l'enveloppe blanche, mon adresse parisienne coiffée de la mention « air mail ». Le F. de Ferdinand est manifestement un « B » rectifié. Dans l'ensemble, le bleu domine.

Très cher Ferdinand. J'ai reçu ton texte hier, un choc. Quelques journaux, du courrier, et puis ton texte. Une lettre d'un ami les accompagnait. Et puis aussi, j'allais oublier, l'argent du billet, une lettre de la Chase Manhattan Bank. C'est drôle. J'ai pensé au règlement d'une traduction. Je suis désolée. Je t'écris d'un hôpital psychiatrique. Après ton départ, j'ai eu une altercation avec Bill. Il a perdu son sang-froid. Toutes ses frustrations sont remontées à la surface. Bilan, vingt-quatre point de suture au visage. Mes pommettes et l'oreille gauche étaient dans un vraiment drôle d'état. Heureusement, il y avait là un chirurgien esthétique de service. Il m'en restera une légère cicatrice. Ma famille m'a soutenue énormément dans cette épreuve. Ta lettre et ce texte, quelle surprise in such a low time. *Cocteau écrivait qu'il considérait son travail à Saint-Cloud comme la meilleure chose qu'il ait écrite. Nietzsche attendit neuf ans que les autres viennent à sa méthode de pensée. J'essaie de travailler ici. Je ne sais ce qui en sortira. J'ai fait un rêve très intéressant la nuit dernière. Le nom de l'hôpital où je suis, c'est* Manor House. *Dans mon rêve, j'avais des problèmes avec des cochons et des poules. Tu as dû lire* Animal Farm *de George Orwell. Le lieu où les animaux finissent par se retrouver, une fois libérés de leurs maîtres, s'appelle* Manor House. *Si tu n'as jamais lu ce roman, fais-le. Tu comprendras. Je t'embrasse très très fort, mais ai-je encore le courage de t'aimer? Fran.*

La lettre de Jenny

Je reconnais tout de suite son écriture rapide, tout en boucles et en pointes. Sur la lettre, pas de date, pas de lieu. Sur l'enveloppe, le cachet de la poste est de New York, du bureau sis en face de Madison Square Garden, bâtiment de pierre massif dont le fronton, au-dessus d'une vingtaine de colonnes imposantes, rappelle que ni la neige ni la pluie ni quoi que ce soit jamais ne ralentira le courrier confié aux postes des États-Unis d'Amérique. La date est illisible. Je calcule que le pli a dû être expédié il y a au moins trois jours, au plus cinq ou six. C'est Jenny :

Hello mec. Je suis dans une forme éblouissante. Ramène-toi en vitesse ou je débarque à Paris. Je t'aime mais fais pas chier. Jenny.

Je bondis sur le téléphone.

Je forme successivement deux des quatre numéros que je connais par cœur.

D'abord je dis. Peux-tu me trouver une place sur New York?

S'il te plaît pense à mes jambes.

Ensuite je tousse. Puis je dis. Voilà. Je retousse. Voilà je retourne à New York terminer mon livre.

Paris – New York – Peterborough, juin 1985

DANS LA MÊME COLLECTION

Le bout du monde est une fenêtre, Emmelie Prophète

Gouverneurs de la rosée, Jacques Roumain

Nègre blanc, Jean-Marc Pasquet

Trilogie tropicale, Raphaël Confiant

Brisants, Max Jeanne

Une aiguille nue, Nuruddin Farah

Mémoire errante (coédition avec Remue-Ménage), J.J. Dominique

Dessalines, Guy Poitry

Litanie pour le Nègre fondamental, Jean Bernabé

L'allée des soupirs, Raphaël Confiant

Je ne suis pas Jack Kérouac (coédition avec Fédérop), Jean-Paul Loubes

Saison de porcs, Gary Victor

Traversée de l'Amérique dans les yeux d'un papillon, Laure Morali

Les immortelles, Makenzy Orcel

Le reste du temps, Emmelie Prophète

L'amour au temps des mimosas, Nadia Ghalem

La dot de Sara (coédition avec Remue-Ménage), Marie-Célie Agnant

L'ombre de l'olivier, Yara El-Ghadban

Kuessipan, Naomi Fontaine

Cora Geffrard, Michel Soukar

Les latrines, Makenzy Orcel

Vers l'Ouest, Mahigan Lepage

Soro, Gary Victor

Les tiens, Claude-Andrée L'Espérance

L'invention de la tribu, Catherine-Lune Grayson

Détour par First Avenue, Myrtelle Devilmé

Éloge des ténèbres, Verly Dabel

Impasse Dignité, Emmelie Prophète

La prison des jours, Michel Soukar

Coulées, Mahigan Lepage

Maudite éducation, Gary Victor

Je ne savais pas que la vie serait si longue après la mort, collectif dirigé par Gary Victor

Jeune fille vue de dos, Céline Nannini

L'amant du lac, Virginia Pésémapéo Bordeleau

La nuit de l'Imoko, Boubacar Boris Diop

Les chants incomplets, Miguel Duplan

La dernière nuit de Cincinnatus Leconte, Michel Soukar

Cures et châtiments, Gary Victor

Des vies cassées, Nigel H. Thomas (traduit par Alexie Doucet)

Le testament des solitudes, Emmelie Prophète

Première nuit: une anthologie du désir, collectif dirigé par Léonora Miano

La maison des épices, Nafissatou Dia Diouf

L'enfant hiver, Virginia Pésémapéo Bordeleau

Quartz, Joanne Rochette

Fuites mineures, Mahigan Lepage

Les brasseurs de la ville, Evains Wêche

Le vieux canapé bleu, Seymour Mayne

Volcaniques: une anthologie du plaisir, collectif dirigé par Léonora Miano

Le bout du monde est une fenêtre, Emmelie Prophète

L'ouvrage
Manhattan Blues
de Jean-Claude Charles
est composé en Bookman corps 11.5/14.
Il est imprimé sur du papier Enviro 100
contenant 100%
de fibres recyclées postconsommation,
en novembre 2015
au Québec (Canada)
par Imprimerie Gauvin
pour le compte des Éditions Mémoire d'encrier inc.